L'ART SOUS LES BOMBES
de Marie Roberge
est le deux cent soixante-quinzième ouvrage
publié chez
LANCTÔT ÉDITEUR.

D0902501

L'ART SOUS LES BOMBES

Marie Roberge

L'art sous les bombes

LANCTÔT
ÉDITEUR

LANCTÔT ÉDITEUR
1660 A, avenue Ducharme
Outremont, Québec
H2V 1G7
Tél. : (514) 270.6303
Téléc. : (514) 273.9608
Adresse électronique : lanctotediteur@videotron.ca
Site Internet : www.lanctotediteur.qc.ca

Conception graphique et maquette de la couverture :
Louise Durocher

Mise en pages :
Édiscript enr.

Distribution :
Prologue
Tél. : (514) 434.0306 / 1.800.363.2864
Téléc. : (514) 434.2627 / 1.800.361.8088

Distribution en Europe :
Librairie du Québec
30, rue Gay-Lussac
75005 Paris
France
Téléc. : 1.43.54.39.15

Nous remercions le ministère du Patrimoine canadien et le Conseil
des arts du Canada de l'aide accordée à notre programme de
publication. Nous remercions également la Sodec, du ministère de
la Culture et des Communications du Québec, de son soutien.
Lanctôt éditeur bénéficie du Programme de crédit d'impôt pour
l'édition de livres du gouvernement du Québec, géré par la
SODEC.

Remerciements

Merci à Brice Burr qui m'a permis le premier de pénétrer dans le monde des graffeurs. Toute ma gratitude à l'équipe du début : Michèle Dumont-Portugais, qui est devenue entre-temps Dumont-Ramel, Frédéric Ramel, Isabelle Perron et, en particulier, Yulie Jodoin qui a effectué une partie des entrevues.

Je remercie Mario, qui m'a prêté un chalet en Estrie, au moment où j'avais terriblement besoin de me retirer pour terminer le manuscrit.

Merci aux graffeurs dont les expériences et les témoignages forment le cœur et l'essence de cet ouvrage. Merci également à ceux qui, pour toutes sortes de raisons, n'y apparaissent pas, ce qui n'enlève en rien à l'estime que j'ai pour eux et leur travail, et parmi lesquels de nouveaux graffeurs qui ont émergé, forts de l'expérience de leurs aînés : MONK-e, ZEMA, SHORE, SAER, WARE, SNIPER, EPOK, et d'autres, dont SKADR, un toy au moment où je l'avais rencontré, qui a maintenant pris sa place.

Je remercie SINO, qui m'a fourni un lexique cohérent, et AXE, pour son cours élémentaire sur le lettrage et pour les photos.

Toute ma reconnaissance à Nicole-Sophie Viau, qui, sous les apparences de fonctionnaire de la Ville de Montréal, a joué son rôle d'ange pour les graffiteurs : dévouée, disponible, les aimant et les comprenant comme peu de gens peuvent le faire, elle a pu permettre à ces jeunes de développer leurs talents et d'en faire profiter la société. C'est grâce à son soutien autant moral que physique, à son amitié et à la confiance inconditionnelle qu'elle m'a accordée que j'ai pu mener à terme cette enquête. Son travail sur le terrain avec les jeunes a porté des fruits qu'on ne saurait soupçonner de prime abord : découverte de leur potentiel, réinsertion sociale pour des cas parfois désespérés et, surtout, reprise de confiance, en eux, en la société, en leur avenir. Elle a toujours donné plus que ce qui lui était demandé, ayant pour seul guide l'amour qu'elle voue à ces jeunes qui prennent le chemin de l'illégalité faute d'adultes pour les entendre.

Merci à Éloi, Xavier, Aurélie, Marion, Laura et Adam de qui j'ai l'honneur d'être la mère et qui m'apportent, chacun à leur façon, la lumière dont j'ai besoin à chaque instant.

Merci à François, mon mari, photographe émérite, qui m'encourage dans mes projets les plus fous, même quand ceux-ci le laissent sceptique.

Merci enfin à Pierrette Gravel, pour son flair, à Jacques Lanctôt et à son équipe grâce à qui cet ouvrage existe et a pris la forme de ce que vous tenez entre les mains.

Avant-propos

Décembre 1999. Je viens de fonder une galerie, à Notre-Dame-de-Grâce. Alors que je suis en train de me creuser les méninges pour préciser la thématique de l'exposition du mois d'avril prochain, et dont je sais seulement qu'elle tournera autour des arts de la rue, Axel Harvey, un ami, entre dans la galerie, venu me montrer les clichés que son fils, Brice, a pris au fil des ruelles de Montréal. Des photos de graffitis. Mise en face de ces œuvres isolées de leur contexte, je suis frappée par leur beauté, tout autant que par le talent et la hardiesse des artistes fantômes qui les ont peintes. Le phénomène graffiti m'avait laissée, jusque-là, plutôt indifférente, quand je n'étais pas contrariée, voire même agressée par ces gribouillis. Me voici à présent fascinée par ce langage nouveau à mes yeux, que je n'avais pas encore su voir !

Coup de foudre, coup de cœur, les graffeurs seront les artistes qui exposeront leurs œuvres à la galerie, en avril 2000 !

Pour marquer le coup, j'obtiens la permission des propriétaires du bâtiment Bellevue-Pathé, et par un beau samedi matin de printemps, je me retrouve au coin des rues Décarie et de Maisonneuve, avec une cinquantaine de jeunes artistes qui, pendant deux jours, transformeront allègrement les murs gris et délabrés de ce bâtiment décrépit, en créant une fresque bigarrée, vivante et joyeuse.

La journée même, voilà que se soulèvent les passions, autant dans le quartier que dans les médias : j'apprends que, d'après certains, nous venons de créer une zone sinistrée, en plus d'ouvrir la porte à la délinquance... Et le sempiternel débat jamais résolu s'engage une fois de plus : «Est-ce que c'est de l'art, tout ça ? Qu'en pensez-vous, madame, monsieur ? Est-ce que vous trouvez ÇA beau ?»

Pendant ce temps, pour moi, tout au long des préparatifs en vue de l'exposition «Les arts de la rue» et, par la suite, de cette murale, s'est développée une nouvelle perception des signatures qui déchirent mon quartier et ma ville : je commence à reconnaître les mains qui les ont tracées, à sentir leur chaleur, à déchiffrer la passion sous l'arrogance. Et plus je m'avance vers elles, plus je me libère de la crainte que m'avaient inspirée leurs empreintes, alors qu'elles m'apparaissaient comme des spectres inquiétants.

Depuis que j'ai commencé à percevoir ces traces, tags et graffitis, comme des voix qui veulent se faire entendre, au lieu de les interpréter comme des cris menaçants, j'ai pu enfin me promener en paix dans les rues de ma ville.

C'est ce bien-être que j'ai envie de partager, tout simplement. Le but, ici, n'est pas de débattre de la beauté ou de la pertinence du geste, et je ne

crois pas que le graffiti soit à la veille de disparaître : il est une manifestation sans équivoque
de la difficulté d'être, lorsque sonne l'heure de se
trouver une place dans la cité. L'idée est d'écouter
ce que nos jeunes Montréalais vivent et pensent,
d'entendre ce cri qu'ils étalent sur nos murs.
Écouter, simplement. Voilà l'intention à l'origine de ce livre. Pour débuter, nous avons fait
plusieurs rencontres en groupe à la suite des-
quelles un fil conducteur s'est imposé, d'où est
née la division des chapitres. Nous avons ensuite
poursuivi en faisant des entrevues avec chacun
des graffiteurs dont les témoignages sont livrés
au fil des pages. Nous, c'est aussi Yulie Jodoin
qui, avec toute l'efficacité, la grâce et l'intelli-
gence qui lui sont propres, m'a permis de cons-
tituer les bases de ce livre en effectuant une partie des entrevues.

J'ai eu le privilège de rencontrer un par un ces
artistes, qui m'ont accordé généreusement leur
temps et leur confiance. Alors, en même temps
que je découvrais, à travers ces graffiteurs, un
monde où la résignation n'existe pas, et où aucun
obstacle ne résiste à leur désir de grandir, d'aller
plus haut, plus loin dans l'expression de leur
raison de vivre, je recevais, de l'autre côté, le
même commentaire : « Est-ce que tu sais combien
ça nous coûte par année de faire nettoyer ces graffitis ? » suivi infailliblement d'un chiffre qui,
dépendamment de l'interlocuteur, oscillait entre
100 000 et 750 000 $.

L'art sous les bombes s'offre comme un temps
d'arrêt, de réflexion, pour écouter avec respect
ces jeunes qui, avec les couleurs de la passion, ont
marqué nos murs de leur désir de vivre.

Quant à moi, entre la résignation et la passion, le choix n'est plus à faire.

MARIE ROBERGE

I

L'ENFANCE

«Nos premiers bâtiments étaient en Lego»

J e suis attablée dans un café toute à l'écoute de mes trois amis : HEST, KasEko et STARE. Nous discutons de leur passion, celle qui me fascine : les graffitis. On parle à bâtons rompus, tentant de trouver un fil conducteur qui nous guidera dans le labyrinthe de leur pratique, métier en déséquilibre, balançant toujours entre la quête mystique et la criminalité ! «Nos premiers bâtiments étaient en Lego !» me dit soudain l'un d'eux, en éclatant de rire. Et alors jaillit en moi la vision d'un petit garçon (le graffiti est une pratique majoritairement masculine) de trois ou quatre ans, seul dans le silence de sa chambre, loin des regards, qui construit un édifice en Lego. Puis, pris d'une impulsion subite, il gribouille sa marque au crayon feutre sur les murs de son immeuble tout neuf !

Ma curiosité est piquée : Comment étaient-ils dans leur jeune âge, ces virtuoses de la canette ?

Est-ce qu'ils étaient déjà portés vers le dessin ou, au contraire, est-ce le graffiti qui a éveillé leur intérêt pour l'image? Turbulents, rebelles, ou calmes et énigmatiques? Je leur pose la question. Il y a des enfants agités, comme SIR: «J'avais pas besoin de Ritalin, mais j'étais un paquet de nerfs. Enfant, je dessinais toujours. Je m'amusais avec ça, tout simplement, c'était comme de jouer aux jeux vidéos!»

Stirling, bien connu pour rassembler les artistes (il a créé l'événement annuel Under Pressure et publie la revue du même nom), a toujours eu, d'aussi loin qu'il se rappelle, le même tempérament: hyperactif, grande gueule, insupportable pour les professeurs:

«Quand je dérangeais trop, les professeurs me donnaient du papier puis: "Tiens! Dessine!"»

Cette façon de le calmer me laisse croire qu'il devait déjà passer, lui aussi, pour un fanatique du dessin. Heureusement pour lui, à l'école, un professeur peut voir au-delà de l'air qu'il déplace:

«En sixième année, un professeur a eu la patience de m'endurer et m'a encouragé à dessiner. Ça m'a donné confiance.»

Et d'un autre côté, KasEko, artiste réfléchi qui, de sa voix grave et posée, nous emmène dans les profondeurs de la réflexion métaphysique:

«Je vivais plutôt dans mon monde, si on veut, et j'ai grandi par moi-même. J'ai toujours eu un bon ami ou un ami proche; les autres étaient des amis avec qui on jouait, mais le plus important de ma vie se passait avec moi, mes jouets, mes dessins, ma chambre et mes toutous... La première fois que je me rappelle avoir dessiné sur un mur, c'est quand j'avais environ trois ou quatre ans, et je me souviens aussi de m'être fait taper les fesses plusieurs fois, parce que je n'ai pas arrêté après la première fois!»

Tout petit, KAS savourait déjà le plaisir des productions illégales, alors qu'il habitait avec sa famille au deuxième étage d'un petit duplex, sur la Rive-Sud. Un des murs de sa chambre était percé d'une fenêtre qui occupait presque tout l'espace, ne laissant qu'un contour de mur d'à peine 20 cm, de telle sorte que le petit garçon avait l'impression que sa chambre était à ciel ouvert. Un toile blanche lui servait de rideau. Quel rêve pour le graffiteur en herbe qui découvre, comme d'autres un continent, ce vaste espace vierge à l'abri des regards. Il prend l'habitude de s'y installer, campé entre le ciel et la toile, pour dessiner avec ses feutres ou ses crayons de cire : «Je crois que c'était mon premier véritable graffiti fait au marqueur sur une grande surface. Je n'allais pas encore à l'école et je considérais cet endroit comme mon monde caché ; ce corridor long, étroit, faisait partie de ma dimension secrète.»

Premiers plaisirs interdits, premiers démêlés avec la justice et première fessée : la murale de KAS ayant pris de l'ampleur, sa mère, en rentrant de travailler un soir, a fini par la remarquer de la rue...

HEST est également un de ceux qui ont commencé à défier les règles entre les quatre murs de leur chambre :

«Mon premier souvenir, c'est celui des portes de placard de ma chambre sur lesquelles je m'exerçais, avec un gros marqueur, à reproduire les différentes marques de BMX.»

TIMER et SHOCK faisaient également partie de cette race d'enfants qui dessinent tout le temps. LOES se souvient même qu'il dessinait des Bugs Bunny et, plus tard, des Superman. Mais d'autres, comme HER, bien que très attirés par le dessin, ont dû mettre leur passion en veilleuse à cause des critiques de leur famille : « Je dessinais toujours, toujours. Mais à un moment donné, ils (ma famille) pensaient que je niaisais parce que je dessinais tout le temps... Ça les dérangeait tellement que j'ai arrêté de dessiner. »

J'ai été frappée par le parcours de DAMO, appelé par certains « le coureur de tunnel ». À l'âge de neuf ans, il est atteint d'une maladie rare qui le cloue au lit pendant deux ans, dont une année complète passée à l'hôpital. Ses parents étant professeurs de littérature, les bibliothèques familiales débordent de livres. Ainsi pourvu, DAMO occupera ces deux années à lire et à inventer son univers. Il abusera de ses jambes quand le moment sera venu !

II

L'ÉVEIL

« C'est pas que t'aimes
pas ta mère... »

Au fil des entrevues, je comprends que la passion du dessin n'est pas un préalable pour se lancer à corps perdu dans l'univers du graffiti. Une attirance certaine pour les défis extrêmes fait partie de l'attirail de base ! Je continue l'enquête : Quel élément déclencheur fera que ces enfants, au virage de l'adolescence, prendront joyeusement, passionnément, le chemin de l'illégalité ?

« Mon frère fréquentait la même école que plusieurs writers qui commençaient tout juste à faire du graffiti. Tous ses cahiers et ses livres d'école étaient remplis de tags et de dessins. Au début je riais de lui, mais ç'a fini par m'intriguer, puis j'ai essayé de faire la même chose. J'entendais souvent mon frère parler de ses amis en les nommant par leurs noms de writer et plus tard, quand il m'a appris à lire des tags, j'ai commencé à reconnaître leurs graffs dans les rues, un peu partout. J'avais quinze ans lorsque je me suis mis à essayer de dessiner différents trucs sur papier. Puis, j'ai commencé à accompagner mon frère et ses amis de temps à autre, sur les chemins de fer, pour les regarder faire. Pour mon frère, ça n'a été qu'un passage, mais moi, je me suis davantage impliqué; je crois que ça m'a plus touché... C'est resté en moi.» (DAMO)

C'est entre douze et dix-sept ans environ que les jeunes vont s'éveiller au graff et, le cas échéant, y rester accrochés.

«J'ai toujours dessiné. Lorsque je suis arrivé à l'âge où on commence à regarder autour de nous, vers douze, treize ans, je voyais des FLOW, des SIKE à des endroits qu'on croirait impossibles à atteindre. Des signatures qui vous sautent au visage, un peu comme la publicité, mais illégale!» (SHOK)

DYSKE, par exemple, dont toute la vie avait tourné jusque-là autour du skate ou du snowboard, se rappelle l'été 1995, alors que ses amis commencent à suivre cette nouvelle mode :

«Je les voyais partir pour aller taguer et je trouvais ça stupide d'aller écrire son nom... Puis j'ai commencé à écrire mes initiales sur papier et un soir, je suis allé avec eux juste pour voir qu'est-ce que c'était. Ce que j'ai fait la première fois, c'était laid, mais moi je trouvais ça beau et je suis resté accroché. Après, je suis devenu obsédé par le graff, je pensais juste à ça, et j'ai passé l'été à la Redpath. C'est là que j'ai rencontré tout le monde.»

Comme pour DAMO, ses initiateurs ne sont pas allés plus loin et ont vite délaissé leur activité clandestine. DYSKE, lui, a continué avec ardeur pendant deux ou trois ans et s'est fait connaître assez rapidement en écrivant son nom partout à travers Montréal.

Le sentiment d'être spécial, singulier, et le besoin le faire savoir au monde est là, il suffit de l'étincelle qui viendra mettre le feu aux poudres! Ce déclic peut venir de différentes avenues. Pour LOES, comme pour d'autres, c'est la culture hip hop dans laquelle il baigne : «J'étais intéressé par le rap, et comme le graff en est un élément, j'ai commencé à jouer avec ma signature dans mes cahiers.»

Dans le cas de KasEko, c'est une émission télévisée :

«Dans mon coin, on apercevait parfois certaines signatures de gang, de voyous ou de vandales faites surtout par les étudiants de l'école secondaire, mais pas vraiment de "graffitis signatures".

«Un soir que j'étais bien tranquille à la maison, je me suis mis à regarder, par hasard, une émission télévisée qui parlait d'une fille qui dessinait justement des graffitis dans un tunnel de chemin de fer. J'ai donc décidé de reprendre le concept à ma façon, avec ma clique de skaters qui s'appelait TA. Comme je cherchais un spot où on pourrait tous aller dessiner ensemble, ça m'a donné l'idée de suivre le chemin de fer près de chez nous. Le soir même, je suis donc sorti et on a suivi les rails jusqu'au bout, mais on n'a rien trouvé : aucun tunnel, aucune surface intéressante où on pourrait peindre. Je suis retourné chez moi un peu déçu... Deux jours plus tard, avec un ami qui possède une voiture, on a continué à suivre cette fameuse voie ferrée, parce que j'avais remarqué sur une carte qu'elle continuait après le parc Angrignon. On s'y est rendu et, comble de bonheur, on a trouvé l'endroit idéal : une belle niche tranquille au centre d'un triangle formé par trois buildings abandonnés, du gazon, des arbres, à seulement vingt-cinq minutes de marche de chez nous ! Cet endroit parfait est donc devenu le "TA spot".»

Une passion les appelle, la rage adolescente qui fait bouillir leur sang, et ils sentent maintenant un besoin irrépressible de sortir leurs marqueurs dans la rue :

«Moi, je suis né à Paris, j'ai vu un mur devant moi, j'ai vu des cans qui traînaient, je les ai prises : ça me ressemble, ça me colle à la peau, quoi !» (HEST)

Et après cette découverte est venu pour lui le plaisir de la récidive :

«À Paris, on connaissait l'horaire de certaines lignes. Le dimanche, on se réunissait à sept ou huit, on prenait des postes de musique, comme si on partait en pique-nique, mais on allait s'enfermer à dix mètres en dessous de la terre. On restait deux, trois heures là-dedans, on passait de station en station, on ouvrait tout, c'était fantastique, c'était notre terrain... Le métro, c'est excitant parce que t'as pas de sorties de secours, les risques sont énormes. Pourquoi tu le fais à seize ans ? Tu te poses pas ce genre de questions : t'as envie de suivre les potes et puis voilà. C'est comme le sport : quand tu es gardien de but, tu perds pas de temps à t'arrêter pour arranger ce qui ne va pas. Si c'est pas parfait, on l'améliore. On trouve une encre qui est meilleure, qui tache plus...»

SINO a grandi dans une cité, en banlieue de Paris. Déterminé, fonceur, bourré de talent, il était déjà délinquant, par la force du milieu où il baignait, quand il a commencé à taguer avec ses copains. Comme il le dit : « J'ai pas attendu de faire du graff pour voler. Alors, voler des canettes, c'était pas difficile pour moi.» Il se rappelle ses débuts :

« Moi, j'avais des capacités en dessin et j'étais meilleur que les gars autour de moi. Mais lorsque je regardais dans Subway Art ou Spraycan Art, ma première source d'inspiration, je trouvais horrible ce que je faisais!»

Et pourquoi a-t-il continué au-delà des premiers essais?

«Au début, c'était plus pour le délire que pour marquer mon nom. On n'essayait pas de crier à la face du monde qu'on existait… Loin de là! Mais une fois que t'as ton nom, c'est dur d'arrêter : ton ego est flatté et t'as pas envie de lâcher.»

FLOW, à trente ans, est un des patriarches au sein des graffiteurs montréalais. Ayant grandi dans le West Island, il se rappelle qu'il n'y avait pas grand-chose dans son environnement, à cette époque, pour nourrir sa passion. Il devait se rendre au centre-ville, où se trouvaient SIKE, SOAK…

«En 1982, alors que j'avais onze ans, je faisais du break dancing. Le break dancing, le hip hop, le graff, tout ça faisait partie d'un même mouvement. J'ai expérimenté plusieurs disciplines de ce nouveau courant et c'est en regardant Beat Street, un film où il y avait beaucoup de graffitis, que l'idée m'est venue. J'ai commencé avec des marqueurs et des crayons, dans le quartier où j'habitais. Un jour, un gars est arrivé avec des cans et on les a vidées sur un mur. Le résultat était plutôt moche et laid, mais on s'est bien amusés. À l'époque, j'écrivais PROPERTY.»

Et en 1984, il va à New York : «Partout où tu regardes, là-bas, il y a des graffitis. Ça m'a vraiment impressionné et ç'a eu tout un impact sur moi.»

New York et ses graffitis a d'ailleurs eu une influence majeure sur la plupart d'entre eux : «Je me souviens, quand je suis allé à New York, en 1990, ça m'a fait capoter de voir tous ces graffs partout, sur les camions, les buildings... Je n'avais pas assez de pellicule pour tout prendre en photo!» (TIMER)

«Quand j'étais petit, j'allais chaque année à New York avec mes parents; on entrait par le Bronx où il y avait des graffitis partout. C'est vers l'âge de onze, douze ans que je les ai vraiment remarqués. Ils étaient blancs ou argent avec des contours de toutes les couleurs et ils étaient tous *bubbly.*»

Après la prise de conscience, la mise en pratique :

«En 1992, j'avais seize ans, je me tenais avec un ami et on a commencé à se parler de New York, des graffitis. C'est quand j'ai fait des graffitis dans ma chambre et qu'il me restait des cans qu'on a décidé, lui et moi, d'aller faire des graffitis sur les rails de chemin de fer... de jour, en plus! On a fait quelques pieces, cet après-midi-là. C'est cette fois-là qu'on est devenus accrocs au graffiti, c'est vrai! Y a pas d'autre mot! Je signais S3.» (STACK)

La rage est une force d'incitation puissante.
JONE se rappelle de celle qui jaillissait de ses premiers marqueurs : « Mes parents sont très pratiquants et ils
m'imposaient beaucoup trop de règles. Le premier truc que j'ai écrit, c'était "Vicious". Je
l'écrivais avec beaucoup de colère sur les autobus
avec un marqueur.»

Et KERS qui avait saisi, dès la première fois,
une des raisons d'être du graff : « J'ai commencé le graffiti au mois de mai,
alors que j'étais suspendu de l'école. J'avais
quinze ans. J'étais assis sur un banc, dans un parc,
et j'avais écrit "fuck the school" avec un petit marqueur, juste comme ça. Comme je m'en allais, je
me suis dit : "Attends un peu, tout le monde écrit
ça, mais quand moi je vais l'écrire, je veux que
tout le monde sache que c'est de moi !" Alors j'ai
ajouté "KILLER". Quand je suis rentré chez moi,
j'ai dit à un ami que j'allais écrire partout "fuck the
school" et que j'allais signer KILLER. Mon ami m'a
suggéré KILLA, comme dans les films. À ce
moment-là, c'était même pas pour le graff, mais
plutôt un genre de publicité, signée par moi !»

À côté de la rage, il y a aussi la découverte
d'une passion. HER qui, petite fille, avait abandonné ses crayons à cause des critiques de sa
famille, rencontre JONE, devient amoureuse du
graffiteur, et du graff !

« Il m'a emmenée à Under Pressure 98, sans me
dire qu'il faisait du graff ; il m'a simplement emmenée. Lorsque j'ai vu, j'ai capoté ! JONE m'a
tout expliqué, les principes, tout... Et ça m'a
touchée ! En même temps, j'ai su qu'il ne peinturait plus beaucoup, parce que j'étais avec lui et

qu'il croyait que je n'allais pas aimer ça. Quand j'ai compris, je lui ai dit: "Vas-y, peinture, qu'est-ce que tu fais! Si tu arrêtes, tu vas disparaître, tu sais?" Il a recommencé à peinturer et un soir, je lui ai demandé d'essayer avec lui. On est allés sur un toit et j'ai fait un petit throw-up. C'était laid, mais j'étais tout excitée! Si tu ne l'as pas vécu, tu ne sais pas c'est quoi: il faut que tu le fasses. C'est comme la vie: tu vis et puis tu comprends.»

ZECK, pour sa part, a commencé à taguer sans même le savoir... Le désir de ravager est venu par la suite:

«J'habitais place Saint-Henri à l'époque et mon premier tag, c'était "Teenage Mutant Ninja Turtles": je venais d'aller voir le film. J'avais un marqueur et je me suis installé dans une ruelle: je ne pensais pas en faire partout, mais à douze ans, j'ai trouvé ça cool d'écrire sur une porte de garage. C'est juste plus tard que j'ai compris qu'on pouvait écrire son nom comme ça sur toutes les surfaces: j'étais à l'école Jeanne-Mance et à partir du moment où mon crew a commencé à faire les toilettes, elles ont été recouvertes de signatures. En un an, c'était fini, il n'y avait plus de place... Avec un autre crew, on s'est mis d'accord: "Bon, ça c'est notre école, alors on se met ensemble et on la tue!"»

Pour SIR, le graffiti est une voix qui oblige à l'écoute, dans un milieu urbain où il est très difficile de faire sa place:

«Moi, j'idéalisais les étudiants du secondaire V, les attitudes vagabondes, la délinquance, j'avais hâte d'y arriver et de me faire respecter, d'aller me chercher un nom... Je mythifiais les plus vieux et j'espérais d'être moi aussi l'idole des plus jeunes...

Grosso modo, j'ai commencé vers onze, douze ans: consommation, délinquance…»

JOSEF, lui, est radical, clair et net: «Le système, moi, je m'en fous, j'ai volé, j'ai fait des choses… Mais j'ai dirigé mes pulsions à faire des choses croches vers le graff: au lieu d'aller taxer du monde dans la rue, je suis parti avec des amis, pis on est allés taguer. On dérange le monde comme ça!»

C-LOCK a commencé à douze ans, en même temps qu'il faisait du skate: «Je faisais ça pour le fun, pas pour le *fame*, comme aujourd'hui. J'écrivais pas de messages politiques comme y en a qui le font. Je faisais juste écrire mon nom en graff, le plus stylisé possible.»

Mais, sous le fun, il y a le cri: «Les graffiteurs ont tous vécu beaucoup de problèmes dans leur vie et le tag leur permet de libérer des émotions contenues.» (C-LOCK)

À preuve, ce récit touchant: «J'ai passé mon enfance à vivre la garde partagée, une semaine chez ma mère et la semaine d'ensuite chez mon père. En 1994, mon père s'est éloigné vers le nord, j'avais environ quatorze ans et je ne le voyais plus qu'une ou deux fois par année. Mes parents étaient d'anciens hippies qui voulaient changer le monde, combattre le système de l'intérieur et je peux dire qu'ils ont beaucoup communiqué avec moi sur différents sujets. Ils se préoccupaient de la santé, des sans-abris, des toxicomanes, ils prenaient vraiment ça à cœur!

«Mais mon père en était un toxicomane, en même temps… la contradiction! Il voulait rester jeune. Il prenait beaucoup de coke, et la nuit précédant son départ à Rouen, je crois, on en a pris ensemble. On a parlé toute la nuit comme des hommes, comme des amis, pas comme père et fils. C'est là que notre relation s'est transformée : on s'est éloignés physiquement, mais on s'est rapprochés psychologiquement... Chaque fois que mon père revenait en ville pour quelques semaines, j'allais rester chez lui et on recommençait le même scénario que la veille de son premier départ. Un jour, quand il est revenu, je l'ai trouvé vraiment *fucked up* dans sa tête, et cette fois-là, il a pris trop de cocaïne et moi aussi j'en ai pris avec lui. Il est mort d'une overdose, juste là, devant moi.

« Depuis ce jour-là, j'ai peur et je suis plus du tout la même personne, en fait, on dirait que je suis quelqu'un d'autre. J'ai oublié une partie de ma vie, je regarde les photos de mon enfance et elles me disent plus rien. Même mon visage a changé, je suis devenu sérieux, je parle plus autant ni comme avant. C'est ce qui m'a poussé à devenir AXE. À partir de ce moment, je me suis défoncé dans le graff... Par chance que j'avais ça, sinon, je sais pas du tout ce que je serais devenu. » (AXE)

Rage, désir de détruire, geste libérateur, passion pour l'image, attrait pour la clandestinité, besoin de se dépasser et d'être admiré sont en général les aspects déterminants qui feront de ces jeunes, venus de tous les horizons, les artisans intrépides qui brodent à la canette les murs gris de Montréal, pendant notre sommeil. Voilà qui porte à réfléchir : de toute manière, ils, elles étaient en marge du système, le graff leur a fourni un exutoire. Cela aurait pu être pire !

III

L'ÉVOLUTION, L'ORGANISATION

« Du tag aux pieces »

Je suis avec mes fils, des adultes de vingt-trois et vingt-sept ans, et on parle à bâtons rompus du graffiti et des graffiteurs. Et les voilà qui commencent à échanger, attendris, des souvenirs de leur adolescence :
« Tu te rappelles la nuit où on avait tagué les fenêtres de l'école ?
— Ah ! oui. On avait écrit « RAP » à l'envers pour que tout le monde puisse le lire de l'intérieur. »
Me voilà renversée ! Je dois avouer que ma surprise est d'autant plus grande que je n'aurais jamais cru que ces deux-là avaient fait quoi que ce soit ensemble, pendant les années turbulentes de l'adolescence. Je les voyais plutôt comme chien et chat que complices... Et j'apprends que mes fils, eux aussi, ont tâté de la bombe ! Mais ce qui n'a été pour eux qu'une passade est devenu tout de même pour d'autres, les murs de la ville en sont témoins, une passion, voire une obsession !

La ferveur des graffiteurs les habite, ils sont poussés à couvrir les murs de leur nom. Pas leur vrai nom, évidemment! Alors, comment composent-ils ces acronymes qui vont les représenter?

Règle générale, cette signature, avant de s'imposer sur les murs urbains, fait l'objet d'une recherche aussi sérieuse que celle d'un prénom pour un nouveau-né:

«À mes débuts, j'utilisais le nom le plus classique qui existe, avec les lettres les plus classiques du tag: S, E, A, K, ça donne SEAK; tout le monde a, en général, une de ces lettres dans son nom. L'été suivant la mort de mon père, j'ai mélangé les lettres et c'est devenu AKSE. Puis, je me suis mis à l'écrire de toutes les façons: AX, AXE et aussi AKS. C'est comme ça que j'ai trouvé AXE. L'axe, c'est le centre de tout, l'équilibre... Pendant la période SEAK, je recherchais quelque chose. Mon père est mort, ç'a vraiment mis ma vie à l'envers et je me suis mis à taguer AXE, jusqu'à ce que je constate que c'est ça que je cherchais, la façon de vivre, l'axe, la stabilité.»

«J'aimais bien les lettres A, S, E, avec lesquelles je pouvais jongler. Je cherchais même dans le dictionnaire un mot qui pourrait s'associer à ma vision et qui s'écrirait bien. Et finalement le résultat de mes recherches m'a donné STARE.»

«Avant, je taguais SYBLOW. En fait, le BLOW vient de Kurtis BLOW et le SY, je ne sais plus d'où il vient. Je me rappelle plus du tout. Et puis un jour, j'ai pris SYNO. J'avais vu la marque Sony; là, tu vois, je me suis dit: tiens, ça sonne bien, et je peux faire un amalgame, faire quelque chose.

Puis j'ai trouvé SINO. J'ai mis un *I* parce que c'était plus sympa à dessiner qu'un *Y*. Pis le *O* à la fin, ça sonnait bien déjà, puis en plus, ça me permettait de faire une tête ou d'autres choses qu'un *O*, tu vois.»

«Quand j'ai choisi FLOW comme nom de writer, je ne savais pas trop quel genre de nom prendre, dans le sens que je n'avais pas d'exemple. Quand tu en connais, ça peut t'inspirer, mais ici, il y avait personne qui taguait. Je me suis donc débrouillé tout seul. Ce que j'aimais de FLOW, c'est que, lu à l'envers, c'est WOLF (*loup*) et que FLOW (*rythme fluide*), ça me représente bien.»

«Le graff pour moi, au début, c'était simplement faire des lettres qui étaient belles. Il fallait que j'aime le "flow" qu'il avait. J'ai changé cinq fois de nom (KILLA, FUNS, TEN, NICE, SER, KERS) en un an ; chaque fois que je changeais de nom, j'écrivais toutes les lettres de l'alphabet et ensuite, j'écrivais sur une ligne en dessous toutes les lettres que j'aimais. Et c'est comme ça, par élimination, que j'ai trouvé KERS.»

Donc, ces tags qui tatoueront la ville, tantôt blottis dans les couloirs souterrains du métro, tantôt nichés au-dessus des autoroutes, dans des emplacements parfois surréels (comme le SAKE qui flotte sur le mur d'un édifice situé au coin nord-ouest de l'intersection Viger et Bleury) ne sont pas improvisés.

On se forge un nom, mais on peut aussi se le faire offrir :

«À l'hiver 1998, CASE m'a donné son vieux nom, DAMO, que j'utilise encore aujourd'hui. Je m'étais quand même fait connaître par mes premiers tags, mais pas beaucoup, et je voulais me trouver un bon nom, cette fois. CASE savait qu'il ne l'utiliserait plus car, pour lui, CASE, c'était pour la vie. Je lui étais très reconnaissant et le suis encore et toujours parce que je considère que c'est lui qui m'a presque tout appris par rapport au graff.» Voilà pour la griffe. Maintenant, comment se forme le crew?

Parfois, le groupe est déjà formé, comme dans le cas de KasEko avec sa clique de skaters. Ou de SINO qui avait la même bande de copains, jour et nuit, pour les bons et les mauvais coups :

«C'était toujours la même bande de copains. Dans les cités, tout est lié: l'école, l'épicerie, le dépanneur, les voisins. C'est une microsociété, tu es toujours avec le même monde! On a commencé à taguer de temps en temps, puis on a essayé de faire un graffiti, quelque chose de plus gros... Nous, on était la Gang Arts Graphiques, mais on a vite abandonné ce nom parce que ça faisait GAG. On s'est ensuite appelés les DUC (Da Underground Criminal): j'avais demandé à ma prof comment on disait "métro" en anglais!»

Les bandes se forment aussi à l'école comme le raconte STACK qui, avec son copain MAINK, maintenant qu'ils sont mordus, veulent enrôler leurs amis.

«De fait, on avait déjà une gang: The Crazy Hoods. MAINK et STACK répandent la bonne nouvelle: le graff, c'est trop cool! En une semaine, on s'est retrouvés dix: on en parlait à tous nos amis. On ne connaissait rien au graffiti, juste ce qu'on en voyait à la télé. Lorsqu'on voyait un graff dans un film vidéo, on le mettait sur "pause"...»

On est en 1992. Ils sont des précurseurs à Montréal.

« En 1993, on a vu qu'il y avait ABS, qui a changé pour DTC. On a décidé qu'il fallait qu'on se trouve un acronyme. Alors on a inventé JKR (Just Kausin Ruckus). » (STACK)

La création d'un groupe se fait aussi petit à petit, au hasard des rencontres... Le NME est, de l'avis général, le crew le plus audacieux en ville. STARE en raconte les débuts :

« Avant de former notre groupe, on était juste ICER et moi. On allait travailler ensemble quelquefois et ça fonctionnait bien. Un jour, ICER est arrivé en disant qu'il avait trouvé trois lettres qui allaient bien ensemble, et qu'en plus ça formait un mot qui faisait du sens : NME (*ennemy*). Ensuite, HEST s'est joint à nous, puis KERS. On a chacun notre propre vision, mais ce qui nous unit et qui est aussi notre grande force, c'est notre motivation à toujours pousser le graff plus loin, à un autre niveau. »

Parfois, la vie va se charger de souder des jeunes qui vont former un crew avant même d'y avoir pensé !

« On était quatre, âgés de quinze à seize ans, à vouloir se défoncer à faire des gros "blasts", mais on ne savait pas comment s'y prendre. Alors un samedi, vers minuit, on se rend à un chemin de fer avec notre approvisionnement de canettes. On commence à peine à peindre, pour ma part j'ai même pas commencé, et mon ami a juste réussi à tracer ses lettres, que la police arrive et nous embarque... Tu t'imagines ! C'était notre première expérience avec le graffiti et avec la loi ! Ben, au lieu d'être désagréable, ç'a été tout à fait à l'opposé et on a passé une nuit magique pleine de rires et de folies dans la cellule où on était enfermés, au poste

43... Le lendemain, lorsqu'on est ressortis, on se sentait encore plus proches que jamais les uns des autres. C'est là qu'on a décidé de former un crew qui s'appellerait NLP43 (Nique La Police 43). On était juste des tit-culs, mais c'est quand même de là qu'est venue une partie de notre INK43 qui est notre marque à nous quatre, le tag qu'on a écrit partout et qui subsiste encore aujourd'hui.» (AXE)

On peut aussi — on est fonceur ou on ne l'est pas — décider d'être choisi par le groupe qu'on admire :

«Tu vois, moi je voulais être une TA, je voulais vraiment être dans ce crew-là. Je suis allée voir FLOW et je lui ai dit : "Tu sais, je crois qu'il devrait y avoir une fille dans votre crew, ce serait bon pour vous. Je sais que je vais continuer, j'adore ça, je ne veux pas lâcher..." Lui, il riait, puis il a dit : "Ouais, t'as raison, je comprends, ouais..." Ce qui a fait qu'un peu plus tard, à l'événement Out For Fame, en mars 1999, je suis allée le voir pour avoir des nouvelles. C'est là qu'il m'a annoncé que j'étais acceptée. "Bienvenue dans la famille !" J'étais folle de joie !» (HER)

La vie sourit aux audacieux !

PRIME, « *Feel my peace* », *character*,
mur d'une voie ferrée, 1999.

AXE et VECT, wagon *boxcar*.

AXE et VECT, *Akira project*, wagon-citerne, 2003.

AXE, « *P'tit burner à la lime* », wagon *boxcar*, 2000.
Un *burner* se situe à mi-chemin entre le *throw up* et le *piece*,
on pourrait le définir comme un *throw up* en couleurs.

VECT, « *C'est arrivé sur un trin près de chez vous* »,
wagon de grains.

AXE et FASE, « *Sick Funk* », wagon *boxcar*, 2000.

DAMO, *Blockbuster*, TA Wall.

AXE, *character*, mur autorisé coin Roy / Saint-Laurent, 2002.

Graff Jam, événement Underpressure 2001.

AXE, *Flop*, 2002.

AXE, *throw up* sous un pont qui enjambe la rivière Saint-
François. Difficile d'accès, il témoigne de la détermination
du graffiteur à marquer sa place. Selon les crues, le graffiti
disparaît sous l'eau ou s'y reflète en double, multipliant
par deux la satisfaction du tagueur ! 2002.

FER, *throw up*. FER est un rassemblement mouvant de graffeurs qui ont pour philosophie d'amener le graffiti à un niveau supérieur sur ce qui est en métal, qui roule et voyage : trains, bateaux… Un des rares acronymes français qui veut dire, selon l'humeur : Faut En Rire, ou Foi En Rien, ou, quand on change de province : For Ever Rolling, Fill Empty Reality ou Freight Enhancement Ritual.
Un tableau qui roule, faut le FER !

AXE, *throw up*, wagon *boxcar*, 2004.

AXE, PERU, FASE, *production*, TA Wall, 2002.

IV

LES LOIS DU GRAFF

U ne interrogation s'impose à moi et ne cesse de se préciser à mesure que j'avance dans la découverte de ce nouveau monde.

Ils sont plusieurs, plus de 200, qui agissent seuls ou en groupes, se connaissent entre eux sinon personnellement, du moins de réputation, et davantage par leur signature que par leur physionomie : une confrérie secrète, clandestine, formée de jeunes qui ont entre douze et trente ans, et qui voit des nouveaux membres s'ajouter, s'improviser chaque nuit.

Et je me demande : lorsque l'exaspération ou, encore, le désir farouche de se faire remarquer sont les moteurs d'une telle communauté, est-il possible d'avoir des lois, un code moral, qui seront respectés de tous ?

« La grande loi, c'est le respect. » (DAMO) Voilà, en effet, qui résume à peu près l'essentiel, selon l'avis de la majorité.

On peut également mentionner quelques conventions plus ou moins établies, encore que celles-ci demeurent toujours, surtout pour les nouveaux (les «toys»), une limite qu'ils prendront plaisir à transgresser.

«JONE m'a expliqué: "Écris ton nom le plus possible partout où tu es, à part sur les œuvres d'art, les sculptures, les maisons, les hôpitaux, les églises... Il ne faut jamais que tu écrives ton nom sur quelqu'un d'autre, parce que ça, c'est un manque de respect. À moins d'être certaine que tu peux faire quelque chose de mieux. Mais tu ne dois pas faire moins bien. Il faut que tu respectes aussi le nom des autres, ceux qui ont été là depuis plus longtemps que toi."» (HER)

«Le respect est la plus grande règle, pour moi. Si un jeune graffiteur écrit sur un autre piece, ce n'est pas bien, car les plus vieux ont la priorité, c'est tout! Ça se passe comme dans la société: les gens qui possèdent une plus grande expérience vont inspirer davantage le respect... Mais c'est pas toujours comme ça dans le graffiti, parce que les jeunes ne connaissent pas les règles, ils apprennent. Personnellement, lorsque je vois un monument rempli de toutes sortes de tags, ça me met en colère! C'est l'œuvre d'un artiste comme moi, il ne faut pas y toucher. Malheureusement, il y en a plusieurs qui ne comprennent pas ça. C'est pareil pour les maisons privées: je considère ça comme une offense personnelle contre un individu, alors que pour moi, le but du graffiti n'est pas de se révolter contre les gens, mais contre le système. Le graffiti c'est une guerre contre... non, pas une guerre, mais plutôt un mouvement d'expression contre la société et le gouvernement.» (JONE)

«Dans le graff, on n'a pas tous les mêmes lois, mais moi, celles que j'ai toujours respectées, c'est les mêmes que celles des vieux writers de

Montréal: tu vas pas bomber sur une église, ni sur un hôpital ou un poste de police. Ni sur les maisons, les immeubles privés, les voitures... excepté les camions (les boîtes). Ni par-dessus du graff de quelqu'un d'autre, sauf si tu sais que tu vas faire mieux.» (KERS)

«J'ai toujours eu du respect pour les églises ou les monuments, ça ne m'intéresse pas de taguer dessus.» (ZECK)

«Les règles à suivre dans ce milieu n'ont jamais été écrites sur du marbre; elles ont simplement été établies dans le but d'inculquer le respect et la créativité. Il est évident qu'on passe tous par une phase d'apprentissage lorsqu'on débute, il faut souvent du temps et des claques sur la gueule avant de comprendre le jeu dans sa complexité. Mais le principe est assez simple: dans le cas d'un piece, on dit souvent *"bigger and better"* c'est-à-dire que tu dois faire mieux que le gars que tu as décidé de repasser.» (HEST)

«Il faut toujours faire attention de savoir qui tu repasses. De plus, tu dois le faire mieux et le recouvrir en entier. Je ne touche jamais aux églises, aux maisons privées, aux voitures...» (FLOW)

Il y a aussi certains principes de sécurité à observer, tels que garder un endroit *safe*: par *safe*, on entend qu'un bon spot ne doit pas attirer l'attention des autorités. Donc, vaut mieux espacer les visites dans ces lieux privilégiés et ne pas laisser de traces compromettantes.

Pour finir, au sujet du respect, Stirling, en une image, résume tout:

«C'est comme un jeu vidéo: il y a des coups qui vont te faire grimper dans le respect et d'autres qui vont te faire redescendre...»

Il y a quand même STACK et SINO qui réagissent différemment lorsque je leur parle du respect comme étant la loi ultime du graffiti.

« Je ne peux pas crier au manque de respect par rapport aux graffitis alors que le graff, à la base, c'est illégal, et moi, quand je vais faire quelque chose d'illégal, je demande la permission à personne ! » (SINO)

Même chose pour STACK qui me répond en rigolant :

« Tu ne peux pas parler de respect quand faire du graffiti, c'est écrire sur les choses des autres. C'est du vandalisme, c'est tout. »

V

LA VIE UNDERGROUND DU GRAFFITEUR

«Quand tu pars en mission...»

« J e ne vais pas vous dire comment on s'y prend. Vous ne savez pas comment on va aller là, mais un jour vous vous réveillez, vous prenez votre café, puis tout à coup, un éclat d'argent va attirer votre œil et vous allez vous dire : "Voyons donc, qu'est-ce qui est arrivé là ?" » (JOSEF)

« La nuit me fascine, l'aspect de la nuit, les ombres, tout semble déformé... Tu sors et puis t'es pas sûr de rien. T'as une lumière, pis derrière, y a plus rien, tu sais pas ce qui peut se passer. Tu vois des choses, puis tu t'aperçois que c'est pas vraiment ça... La nature est souvent de notre bord, elle peut nous servir de paravent, on peut s'y cacher... » (STARE)

N'étant pas moi-même une adepte des sports extrêmes, loin s'en faut, quand je vois un gros SAKE qui flotte entre ciel et terre (je fais référence à cette signature sur le mur du bâtiment de la rue Viger, dont j'ai déjà parlé au chapitre III), je suis fascinée, troublée par le mystère qui entoure la réalisation de cet exploit, et plongée dans l'admiration, la même que j'éprouve devant un numéro de prestidigitation réussi. Lequel d'entre nous, d'ailleurs, ne s'est pas interrogé devant l'un ou l'autre de ces graffitis surgissant au-dessus d'un échangeur, au faîte d'une tour ou d'un silo inaccessibles à nos yeux, et n'a pas tenté d'imaginer comment ils ont fait?

«Quand on part en mission, parfois c'est spontané, mais il y a aussi des coups qu'on prépare à l'avance. Je ne sais pas comment les gens en dehors voient ça. Supposons que tu circules sur une autoroute et que tu voies une série de NME, ça veut dire qu'il y a cinq gars qui sont venus là, la nuit, puis qu'ils ont écrit leur tag en gros. On a pensé à notre affaire, on a calculé, on a fait des reconnaissances autour. C'est vraiment réfléchi cette affaire-là!» (JOSEF)

Une réalisation dont JOSEF est fier est la marque qu'ils ont laissée, lui et son crew, NME, sur les murs de l'usine Five Roses:

«Moi, je viens de la Rive-Sud et je passais souvent devant l'usine en venant à Montréal; sa structure est tellement imposante que t'as pas le choix de la remarquer! Alors, je me suis dit que tant qu'à la voir, aussi bien y mettre mon nom pour que ça soit plus intéressant pour les gens qui passent devant! Ça faisait deux ans que j'avais un œil sur ce spot-là. ICER aussi l'avait remarqué et il voulait le faire aussi, alors on s'est mis à plusieurs. On est allés en reconnaissance autour pour savoir où étaient les risques: les caméras, les rondes de police, des trucs comme ça. On s'était bien préparés. Et à un moment donné, on s'est dit: "C'est ce soir qu'on le fait." Y fallait monter par différentes structures; à certains endroits, tu pouvais monter par une échelle accrochée au mur, et à d'autres, il y avait juste un rebord de métal de 8 centimètres, c'était pas facile... On l'a fait et le lendemain matin, c'était une vraiment grosse satisfaction! Ç'a causé un impact majeur: tous ceux qui ont vu ça à Montréal, que ce soit des writers ou non, c'est sûr qu'ils ont eu une réaction.» (JOSEF)

STARE nous raconte un autre exploit de NME, réalisé sur des silos, entre Saint-Henri et Pointe-Saint-Charles, et qu'on peut admirer du pont Wellington:

«Ç'a été vraiment très compliqué. En plus, tout le monde se sentait nerveux de le faire, pis y avait le froid aussi qui s'était mis de la partie et qui a failli nous empêcher d'y aller: il faisait environ – 20 °C! On a changé la couleur du fond et gardé la couleur intégrale du mur pour l'intérieur des lettres. Les lettres mesuraient 20 mètres de largeur, et on avait seulement 2 mètres de recul pour faire les lignes... On faisait une ligne, pis on devait faire la suivante à environ 6 mètres plus loin, c'était beaucoup de calculs. KERS et moi on se prenait la tête et on s'engueulait parce qu'en plus, on dessinait les lettres en italique, alors chaque diagonale devait avoir la même inclinaison; pour y arriver, on faisait juste des points... Un homme est passé sur le toit pendant qu'on peinturait, mais, étrangement, il ne nous a pas vus, il s'est même jamais retourné. Il est juste apparu, comme un fantôme, et a disparu aussitôt. Je n'étais même plus certain de l'avoir vu!»

Dans un tel jeu, il y a des adversaires: la police, les *undercovers*, les caméras de surveillance,

les détecteurs de mouvements, autant de pièges à
éviter. Il y a des dangers, assurément, ce que j'appelle « dangers » et qu'ils nomment « défis » :
« Pour nous, tout fait partie du défi. On aime
le graff et aussi les obstacles qui viennent avec :
l'escalade, la police... » (KERS)
Mais votre vie n'est-elle pas en danger, parfois ? KERS s'enflamme :
« Est-ce que tu veux tomber ? Non ! Alors, est-
ce que tu vas tomber ? Non ! Si l'échelle dégrin-
gole, tu vas agripper autre chose : ton but, ce n'est
pas de mourir en faisant du graff ! Quand tu fais
une mission, le temps n'existe pas, il n'y a personne autour de toi. On part quatre ou cinq, on
sait qu'on va rester sur un toit toute la nuit, le but
c'est de ne pas se faire voir ; tout le monde doit
rester professionnel, garder son sang-froid et
avoir confiance aux autres. »
Et il a cette réflexion qui fait sourire :
« Il faut que tu sois comme une police, ou un
détective... mais exactement le contraire ! » (KERS)
Autre phénomène qui m'intrigue, ce sont ces
signatures qu'on peut apercevoir, le temps d'un
battement de paupières, au détour d'un tunnel
entre deux stations de métro. Comment y sont-ils
arrivés, malgré tous les risques que l'on peut
imaginer : lignes à haute tension, trains qui passent à toute vitesse, etc. ?
« Le bombing dans le métro, c'est dan-
gereux... Quand le wagon passe, il faut que tu te
caches dans les petits recoins du tunnel et
lorsqu'il a passé tu peux ressortir et continuer ton
piece. On doit attendre après 9 h le soir, car il y a
moins d'achalandage et ça nous donne plus de
temps. » (FLOW)

Ce danger extrême, quand il est surpassé, peut rapporter une publicité à sa mesure : « Un des gros coups que j'ai fait s'est passé au cours d'une nuit comme les autres, sans aucune planification. TORK et moi, on se promenait dans les rues pour trouver des places où peindre, et on a découvert la sortie d'urgence de la station Saint-Laurent. L'idée d'y pénétrer nous est venue. TORK est parti à la course chez lui chercher des pinces pour couper le cadenas qui barrait les portes. On a réussi à entrer et la première chose qu'on a vue, c'était un vieux tag de SIKE empoussiéré : il était déjà passé par là pour faire les tunnels ! On était vraiment stressés, c'était la première fois qu'on commettait un acte pareil, on ne connaissait pas non plus l'endroit, alors on a marché lentement, tout en explorant les corridors qui nous ont conduits en bas vers les tunnels. Là, on a pu se rendre jusqu'au quai de la station où on a "painté". Par la suite, à notre grande surprise, ç'a paru dans les journaux. On ne s'attendait vraiment pas à ça ! On a compris qu'il fallait faire vite si on voulait faire d'autres stations, parce qu'on savait que tôt ou tard ils augmenteraient leurs effectifs de sécurité, qu'ils installeraient des caméras, etc. On a réussi à en faire quelques autres et ç'a été l'explosion de nouvelles dans les journaux et à la télévision. Pendant une semaine, c'était partout, ils ont même rigolé à ce sujet à l'émission *La fin du monde est à sept heures*. Nous avons été des vedettes inconnues, l'histoire d'un moment, c'était vraiment spécial et complètement inattendu qu'on y mette autant d'emphase. Évidemment, les réactions, en général, étaient négatives, mais ce fut un bon moment pour nous ! » (DAMO)

Au dire de tous, DAMO est le spécialiste des métros, qui est sans conteste le lieu le plus risqué : « La réalisation dont je suis le plus fier, c'est d'avoir été la première personne à Montréal à avoir fait un wagon de train de métro au complet. Pendant que tout le monde fêtait Noël 2000, j'étais tout seul, dans le métro, parmi les caméras et les détecteurs de mouvements, sur une échelle accotée sur un train alimenté d'un voltage incroyable. J'ai passé une heure sous haute tension, dans tous les sens du mot ! La nuit, c'est tellement calme dans le métro qu'on entend tout : un simple bruit résonne à n'en plus finir et tu ne peux pas oublier que tu es dans l'illégalité totale. Tu peux imaginer l'ambiance lourde et stressante, en plus de la difficulté à respirer à cause de toute cette poussière environnante. Mais je voulais être le premier à le faire, et je l'ai fait ! » (DAMO)

D'un autre côté, le métro, c'est aussi « un gros bruit pour rien » : beaucoup de plaisir, beaucoup de peine, et ça dure le temps d'un soupir ; le métro frais peint ne parade qu'une fois. Rendu à l'autre bout de la ligne, il se fait nettoyer. Donc, il faut se lever de bonne heure pour assister au vernissage du dernier « DAMO » ! La beauté et la gratuité du geste me fait penser aux mandalas faits par les moines tibétains avec du sable coloré. D'ailleurs, DAMO utilise des peintures dont il sait qu'elles seront faciles à nettoyer. Il pourrait aussi bien utiliser du goudron ou des peintures de fond pour les autos... Son défi à lui est de créer, d'aller plus loin dans le graff.

L'un de nos graffeurs montréalais, STARE, a même laissé sa marque en Inde :

« Au début, je voulais me trouver un mur "légal", parce qu'en Inde, tu sais pas comment ça se passe, alors je ne voulais pas prendre de risque. J'allais voir les propriétaires, mais soit qu'ils ne parlaient pas anglais, soit qu'ils ne comprenaient pas ce que je disais... Ça ne marchait pas. Par la suite, j'ai vu les publicités comme on en fait là-bas : des petits carrés avec des écritures, partout le long du Gange. Je suis allé m'informer auprès des policiers pour savoir si ce type de publicité était légal. Mauvaise communication : ils ont voulu m'arrêter, parce qu'ils pensaient que j'avais pris une photo des gens qui se baignaient dans le Gange, et ça, c'est interdit ! J'ai fini par consulter un Indien qui passait ses journées sur la place publique et qui conseillait les jeunes voyageurs dans mon genre. Il m'a dit : "Moi, à ta place, je le ferais. Je pense pas qu'il y ait de problème. Si t'as un problème, viens me voir après." Je l'ai fait, mais j'ai pas pris de chance : j'y suis allé la nuit ! J'y ai mis trois à quatre jours, quarante-cinq minutes chaque fois, environ. Le matin où j'ai terminé, il était déjà 5 h 30, je me suis retourné et j'ai vu tous les touristes qui étaient là sur un bateau pour voir le lever du soleil ! J'ai même rencontré une touriste française qui m'a reconnu dans la rue plus tard dans la journée ! »

Trouver le matériel nécessaire pour son tag fut aussi toute une aventure !

« J'ai mis quatre jours de magasinage intensif pour les canettes : personne ne savait ce que c'était. Celles que j'ai trouvées contenaient le tiers de la quantité habituelle. Pour faire les contours, j'ai utilisé de la craie avec laquelle les hindous se maquillent (pour les pratiques religieuses, entre

autres), et j'ai pu l'effacer ensuite avec une gue-
nille : ça coûte moins cher et ça part bien à l'eau.
J'ai dû acheter un gallon de blanc en plus : quand
tu peins sur du béton sans couche de fond, ça boit
énormément. Avec un pinceau, j'ai fait toute la
forme générale en blanc ; après, j'ai mis le noir et
le gris en détail. Normalement je ne fais pas ça,
mais j'étais dépourvu en peinture.»

La nuit est tombée, l'ombre est leur alliée, ils
se faufilent dans les recoins sombres ou sous
terre, tendus et prêts à affronter tous les dangers.
Mais avec de l'imagination et beaucoup d'au-
dace, ils réussissent parfois des coups de maître
en pleine lumière.

«J'ai déjà participé à un gros collectif avec le
Kops crew, en utilisant la technique du "roller"
qui consiste à peinturer avec des rouleaux. C'est
encore, à mon avis, un des plus gros rollers, du
moins un des plus remplis à Montréal. On peut le
voir en longeant l'autoroute qui mène à Dorval.
J'étais vraiment surpris de voir autant de monde
en même temps sur des échelles, à peinturer avec
des rouleaux sur une surface aussi immense. Je
suis sûr que personne n'a pensé que c'était une
production illégale... c'était vraiment trop gros et
bien préparé. On avait débuté le travail vers 21 h
et ça nous a pris du temps parce que c'était géant.
Plusieurs voitures sont passées, mais on a quand
même réussi sans le moindre problème. C'était
très rushant, dans des conditions climatiques
affreuses, c'était juste avant l'hiver, et les échelles
étaient posées dans l'eau glacée dans laquelle on
pataugeait. Mais on l'a fait et maintenant, c'est là.
Et tous ceux qui en ont été témoins par la suite
nous disaient : "C'est incroyable !"» (DAMO)

Incroyable, en effet! D'ailleurs, KOPS semble avoir mis au point une stratégie qui se résumerait ainsi : plus tu es visible, moins tu te fais remarquer ! Ils l'ont prouvé à quelques reprises : on voit leur sigle s'étaler fièrement sur le mur d'un bâtiment situé sur le coin sud-ouest du carré Saint-Louis, à l'intersection Saint-Denis, signé par MORON, SPECT et NEOS. Ils ont procédé de la même manière au coin de Président-Kennedy et Bleury. On m'a aussi raconté que, à deux ou trois, vêtus de salopettes blanches de peintres et tout, ils ont peinturé en plein jour, sur un mur en hauteur dont la façade donne sur la rue Sainte-Catherine, un gros carré blanc. Après avoir recouvert le tout de façon très professionnelle, ils ont laissé le chantier et sont revenus durant la nuit pour faire les contours en bleu.

Il y a aussi des aventures cocasses qui font sourire ceux qui les ont vécues, quelques années plus tard, bien évidemment. En voici deux. STACK raconte :

« C'était l'été, en 1992, on avait trouvé un bon spot : l'échangeur des Pins au niveau de la rue du Parc. On avait décidé que c'était une bonne place, parce qu'il y avait beaucoup de trafic. On était six ou sept, il était 11 h le soir. Je faisais le mur parallèle à des Pins, mon ami surveillait. MAINK était installé pas très loin avec une échelle et peignait son tag en gros avec des formes de buildings ; les autos passaient à un mètre de lui, tout le monde nous voyait. Le lendemain, on a décidé de faire l'autre côté. Pis là, un des guetteurs s'est mis à crier : "La police, la police !" On voit arriver douze autos de police, quatre policiers dans chacune ! J'avais l'impression qu'il y en avait des milliers! On commence à s'enfuir, avant de réaliser qu'ils passaient tout droit! Je peux te dire qu'on a fini nos pieces un peu nerveux! C'est plus tard que j'ai compris ce qui s'était produit en entendant les informations: ils se rendaient au Stade olympique à cause de l'émeute qu'il y avait eu pendant le spectacle de Guns and Roses!»

La mésaventure de TIMER, plutôt burlesque, ressemble à un mauvais tour du hasard. À l'été 1993, un vendredi soir vers minuit, il est en train de peindre dans la ruelle à côté des anciens studios de Musique Plus. Deux amis surveillent chaque extrémité de la ruelle, mais l'attention d'un des guetteurs est un peu distraite par sa nouvelle conquête féminine. C'est très relax, des passants viennent même regarder TIMER à l'œuvre. Mais voilà que la police, à la poursuite d'un vagabond qui vient de faire un mauvais coup, surgit en courant dans la ruelle où notre artiste est à l'œuvre en toute illégalité. La ruelle est rapidement encerclée par les policiers qui font coup double! Avec son sac de hockey rempli de canettes, TIMER n'essaiera même pas de se défendre! Cependant, les policiers ayant à faire ailleurs, il s'en tire sans problème après une brève discussion.

Ce qui ne peut être ignoré, cependant, ce sont ces histoires inqualifiables, révoltantes quand on pense à la démesure entre le châtiment et le délit commis:

«Le 12 septembre 1999, je viens de fêter mon anniversaire pis je suis soûl comme une botte. On descend du mont Royal pour aller prendre le métro à Berri-UQAM, je tague le long des rues. Rendu au métro, je passe les tourniquets avant mes amis et, en les attendant, je sors ma canette de ma manche de gilet pour faire un tag rapide. Mais je me fais prendre sur le fait par deux gardiens de la STCUM. J'en repousse un, l'autre est une femme, je n'ose pas la toucher. Tout à coup, ils se retrouvent douze autour de moi : il est minuit quinze, c'est la fin de leur *shift*. Ils me traînent jusqu'à leur local en me pétant la tête un peu partout. Je me fais rouer de coups de genoux, je suis la face contre le sol, j'entends : "Tu vas-tu en refaire des graffitis ?" Quand ils ont fini, il y a du sang partout sur le plancher, je saigne du nez et des oreilles, j'ai les yeux au beurre noir.

« Ils appellent une ambulance, mais je peux pas payer les 75 $. Alors l'ambulancière me conseille d'aller à l'urgence le lendemain. Je n'avais rien de cassé, par chance, mais j'ai eu mal au dos pendant quelques semaines. Il y avait un témoin, un monsieur, qui a tout vu. Il leur a crié : "Ce n'est pas bien ce qu'il a fait, mais vous avez fait bien pire ! On jurerait une bande d'animaux !" » (AHCER)

Ou la mésaventure de ce jeune d'à peine seize ans :

« Je venais tout juste de faire un tag et j'ai vu une auto de police tourner au coin de Guilbault et Saint-Laurent à toute vitesse. Je pars à courir, mais je perds un de mes souliers, alors je m'arrête pour le récupérer. C'est là que je me fais attraper. Un des policiers m'ordonne de me coucher sur le sol et il me fait une prise violente pour m'immobiliser, même si je suis complètement figé ! Là, il me frappe la tête contre le ciment et me met les menottes. J'ai peur : je ne peux pas appeler la police ! Je lui demande la permission d'aller chercher mon soulier, il se moque de moi. Nous sommes deux à s'être fait embarquer. Plus loin, il me sort tout seul de la voiture et me fait des menaces : "Vous êtes menottés, on vous emmène tous les deux dans une ruelle et il y en a juste un qui va s'en sortir." Il me raconte qu'il va baisser son pantalon, et je ne me rappelle pas de la suite, je suis mort de peur. Comme il me regarde droit dans les yeux, je crois qu'il est sérieux. Ils finissent par nous laisser en face du poste 19. J'ai dû retourner un pied nu chercher mon soulier ; je me rappelle qu'il faisait froid. »

Est-ce qu'une telle violence est justifiable ? Est-ce que la brutalité a déjà eu une portée éducative ? Si c'était le cas, quelque chose m'échappe : je ne saisis pas bien quelle est la leçon que devrait tirer ici le jeune adolescent ?

Parfois, heureusement, il y a une certaine mesure entre le délit et la punition :

« Vers 3 h du matin, à la sortie d'un bar, j'étais avec deux de mes amis, on était complètement soûls et on a sorti nos bombes pour peinturer nos tags sur les murs extérieurs du bar. Deux minutes plus tard, la police est arrivée ! Ils nous ont laissé choisir entre deux options : se faire battre par eux, ou vider le restant de nos canettes sur le linge qu'on portait. On était en manteau, mais le choix à faire était évident… On a vidé nos canettes les uns sur les autres et nos manteaux ont été complètement ruinés. Mais je préférais perdre un manteau que de me faire battre ! » (MAYSR)

Évidemment, ils ne se font pas toujours attraper ! DYSKE me raconte comment, caché dans des buissons près d'une voie ferrée, il s'était camouflé avec une branche, alors que des policiers munis

VECT, ombre tracée, terrain vague à Lachine, 1999.

Graffiteur en action en train de tracer un *throw up*, 1999.

HELP, *battle piece*, peinture krylon, 1998. On voit ici la marque laissée par un des premiers duels à la canette organisé à Montréal, pour régler un différend entre deux crews. La peinture *Krylon* était LA peinture aérosol utilisée au début du graffiti à Montréal. La demande grandissante a poussé des compagnies comme True Color ou Montanta, pour ne nommer que celles-là, à perfectionner le médium afin de mieux répondre aux exigences des graffiteurs.

AXE, *character* : « *www.suicide.com* », 2002.

AXE, *Lean over character*, wagon de grains, 2003.

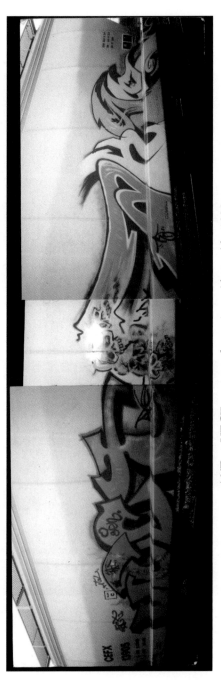

AXE et VECT, wagon de grains, *side to side*, 1999.

AXE et PHILE, intérieur de wagon *boxcar*.

SOBER. Deux signatures du même auteur. L'une, dépouillée, demande une dextérité particulière pour arriver à la pureté de la ligne. Les graffeurs savent reconnaître la maîtrise de celui qui l'a faite. L'autre, plus complexe, demande autant sinon plus d'expérience, mais peut s'exécuter sans être… sobre !

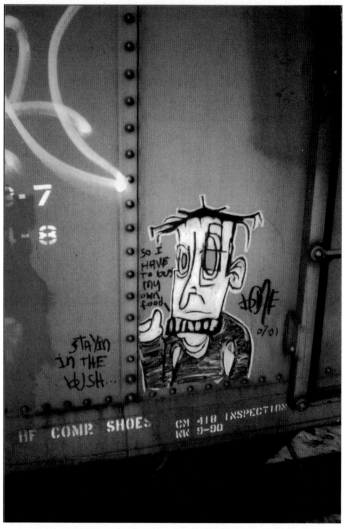

Waxy, mainstreak. Dessins faits aux bâtons de cire à l'huile, pas très grands ce qui permet d'en faire beaucoup, rapidement.

KOPS, *roller*, mur sur la rue Saint-Denis au coin sud-ouest du carré Saint-Louis. KOPS semble avoir mis au point une stratégie qui se résumerait ainsi : plus tu es visible, moins tu te fais remarquer !

NME, *roller*, silos entre Saint-Henri et Pointe Saint-Charles, 2001. STARE racontant l'exploit réalisé par NME auquel il a participé avec d'autres graffeurs : « Les lettres mesuraient 20 mètres de largeur, et on avait seulement 2 mètres de recul pour faire les lignes… On faisait une ligne, pis on devait faire la suivante à environ 6 mètres plus loin, c'était beaucoup de calculs. »

SAKE, *flop*, mur d'un bâtiment coin nord-ouest de Bleury, intersection Viger. Ces tags qui tatoueront la ville, tantôt blottis dans les couloirs souterrains du métro, tantôt nichés au-dessus des autoroutes, dans des emplacements parfois surréels (comme le SAKE qui flotte sur le mur d'un édifice situé sur le coin nord-ouest de l'intersection des rues Viger et de Bleury) ne sont pas improvisés.

de lampes de poche se promenaient à 2 mètres de lui. Ou FLOW:
« Une fois, je faisais un train quand la police est arrivée. J'ai voulu m'enfuir de l'autre côté avant qu'ils me voient, mais il y a une autre voiture qui a surgi. Je me suis alors accroupi, caché sous mon capuchon, etc. Les policiers ont passé la *flashlight* juste au-dessus de moi sans jamais me voir. J'ai été très chanceux ; la sensation était puissante. Sur le coup, c'est énervant et stressant, mais après être rentré chez soi, c'est une bonne sensation, tu es encore sur l'adrénaline.»

Toutefois, il s'est fait prendre à quelques reprises:
« Je suis allé en cour trois fois, à cause du graffiti. La première fois, je suis allé en prison. J'ai été détenu pendant trente heures: d'abord au poste 33, puis ils m'ont transféré dans une vraie prison. L'expérience a été mauvaise ! Une autre fois, je faisais des trains avec d'autres et on s'est fait attraper. On a été condamnés à payer 2 500 $ d'amende. Je n'avais plus le droit d'avoir de la peinture sur moi ni de traîner à proximité des trains. Je n'ai pas écouté et j'ai été attrapé de nouveau sur les rails. Cette fois, la police m'a conduit directement en prison, celle de Rivière-des-Prairies, et non au poste. C'était impressionnant. Quand je me fais arrêter, je ne résiste pas, je laisse tomber mes cans et je les suis. De toute façon, je sais que je brise la loi et que je suis vu comme un criminel, alors... C'est sûr que je trouve ça ridicule d'aller en prison ou de devoir payer 2 500$ d'amende parce que, même si je sais bien que c'est illégal, c'est pas si mal, ce que je fais!»
(FLOW)

Il y a aussi l'aventure tragique de 2SAÏ, bien connue des graffiteurs montréalais:

«Je crois que la principale raison qui m'a amené à faire du graffiti vient d'un gars qui s'appelle 2SAÏ. Il faisait partie des anciens, du temps de SIKE. Il n'y avait pas beaucoup de monde qui pratiquait dans ce temps-là. C'était dans mon quartier, à Rosemont. Des photographes d'un magazine quelconque désiraient prendre des photos de lui en pleine action. En essayant de sauter sur un train en marche, il s'est fait couper la jambe... C'est comme une légende dans notre monde. J'ai appris cette histoire dans un reportage télévisé sur le tag; on parlait de lui et la journaliste lui demandait s'il s'arrêterait à cause de cet accident. Il lui a répondu qu'en fait, ça faisait juste commencer. C'était en 1996. Ça m'a donné envie d'essayer pour devenir un de ceux qui font partie des légendes...» (AXE)

ZECK était avec 2SAÏ au moment du drame:

«Un de mes amis a perdu sa jambe, il y a cinq ans, alors qu'on peignait un train pour un journaliste. On est retournés cette année faire des trains avec lui et un autre ami, pour lui faire retrouver cette sensation, et on pouvait lire dans ses yeux qu'il trippait fort.» (ZECK)

VI

L'ÂME SOUS LES BOMBES

«Quand je vais bomber, je fais une prière avant»

La première fois que j'ai rencontré Stirling Downey, il m'a confié ses expériences de jeunesse, lorsqu'il se retrouvait seul, la nuit, avec un mur et des canettes. Le plaisir qu'il ressentait au moment où le soleil se lève sur l'œuvre fraîchement peinte, je l'ai partagé à travers ses paroles. Il me l'avait fait saisir à un point tel que, sur le chemin du retour, j'avoue que j'y repensais avec un frisson d'envie.

Les aventures qu'il me racontait prenaient soudain les allures, j'ose à peine l'écrire, d'expériences mystiques. Au cours des entrevues, il m'a semblé singulier et inattendu d'entendre un de ces indomptables rebelles de la rue me parler de «karma» ou de «l'énergie de l'Univers». Piquée par la curiosité, j'ai voulu en savoir plus sur ce que les autres pensaient à ce sujet.

«Chaque fois que je crée quelque chose, que ce soit un throw-up, un simple dessin ou un travail plus élaboré, je sens une énergie en moi, pas seulement au lever du soleil, mais aussi pendant l'après-midi. En fait, n'importe quand dans la journée... Toute la journée, l'énergie est là, c'est tout. L'été passé, FLUKE et moi on avait réalisé quelques pieces et plusieurs personnes nous ont fait part qu'ils aimaient vraiment notre travail. Pour moi, ce qu'ils ressentaient en regardant nos réalisations était simplement un transfert de l'énergie qui est toujours présente quand on exécute notre peinture.» (JONE)

«Pour moi, c'est une petite porte qui m'ouvre un passage vers un autre monde où je peux m'enfuir quand je suis tanné de la vie de chaque jour. C'est comme une drogue. Quand tu te retrouves tout seul dans une place isolée, sur les voies ferrées, dans une usine désaffectée, dans un tunnel de métro ou n'importe où, la nuit, quand c'est vraiment calme, quand les sons sont différents, quand les odeurs sont différentes... tu peins et il n'y a rien qui te dérange. Quand tu as fini, tu fumes une cigarette en regardant les étoiles, tes doigts sentent encore la peinture, tu penses à rien et en même temps, tu entres en contact avec toi de l'intérieur, tu te sens éveillé et conscient de tout. C'est pas comme une drogue, c'est mieux : tu trippes, mais tu fais quelque chose de productif en même temps.» (DAMO)

Au fil des entretiens, j'entends aussi parler de rituels, de superstitions. Mon intérêt étant éveillé, j'ai voulu savoir ce qu'il en était pour chacun. Bien entendu, chaque individu vit à sa manière et bien qu'on appartienne au même «corps de métier», cela n'implique pas nécessairement qu'on ait la même perception du travail! Ainsi, la plupart de ceux que

j'ai interrogés n'avaient aucune préparation particulière, comme le précise ironiquement SINO :
« Ça porte malheur d'être superstitieux !»
Mais pour certains, oui, avant de partir en mission un rituel s'impose :
« La première année que j'ai pratiqué activement le graff à Ville LaSalle, on prenait habituellement le dernier autobus de nuit, jusqu'au bout de son circuit, et on poursuivait notre chemin à pied. On organisait tout notre itinéraire à l'avance. J'avais mon petit rituel personnel : mettre mes bas et mes boxers préférés, prendre un petit moment de silence et, personnellement, je ne fumais jamais avant d'aller bomber : je trouvais que ça altérait notre niveau de perception et notre jugement du danger.» (KasEko)
« Ma préparation personnelle consiste à faire une prière, afin que tout se passe pour le mieux.» (HEST)
« On m'a offert un gros bouddha tout doré et je fais toujours ma prière devant lui avant de quitter la maison. Je lui flatte le menton pour l'argent, la bedaine pour la santé et le dessus du crâne pour la chance. Je suis très superstitieux et je fais toutes sortes de trucs pour me protéger et me calmer. Par exemple, chaque fois que je vais faire un train, je porte toujours le même chandail, sinon je deviens nerveux.» (AXE)
« J'avais un T-Shirt Air Jordan que je mettais presque tout le temps avant d'aller bomber.» (STACK)
Pour finir en beauté, voilà JONE qui m'explique tout de A à Z :
« Je pratique le même rituel toutes les fois que je vais peinturer un mur. Je commence par

marcher autour de l'endroit choisi pendant une quinzaine de minutes. Lorsque je décide de m'arrêter, je m'installe contre le mur et m'y assois de cinq à dix minutes, juste le temps nécessaire pour fumer une cigarette. Je regarde ensuite autour de moi, tout en préparant mes canettes, en me récitant intérieurement un genre de petit poème que j'invente au fil de mes gestes : *"Black is on the left, white is on the right"* ou *"Silver is on the left and black is on the right"*. Je me sens alors préparé et organisé, et je me redis ce petit poème quand c'est le temps d'utiliser mes canettes. »

VII

UN SENS À LA VIE

« Es-tu prêt à combattre ? »

Quand tu commences, tu sais pas
qu'est-ce que tu fais.
Après, tu commences à savoir ce
que tu fais,
Mais tu sais pas où tu t'en vas.
Puis tu finis par faire quelque chose
avec ce que tu as appris.

DAMO

Pourquoi ils le font ?

« La rue, c'est notre tableau ! » (LOES)
« Pour moi, le graffiti, c'est un passe-temps qui me passionne et qui me semble plutôt difficile à expliquer à quelqu'un qui n'en fait pas. Même moi, des fois, j'y comprends rien. Chacun trouve quelque chose de différent dans le graff et chacun se fait son propre chemin. » (DAMO)
C'est comme dans toute chose. On essaie, et ça clique ou non. À peu près tous les jeunes ont touché à la canette un jour ou l'autre. Mais qu'est-

ce qui fait que ça devient une raison de vivre ? Se donner de la visibilité est, semble-t-il, un élément capital :

« Avec les graffs, tu touches tout le monde. Que tu l'aimes ou que tu l'aimes pas, c'est dans ta face. » (SHOK)

« Quand tu vis dans un monde urbain, personne t'écoute. Tu marques ton nom en gros et ça affirme que tu existes ! » (C-LOCK)

Et il continue en m'expliquant que faire un train, c'est la visibilité assurée :

« Imagine les gens qui sont immobilisés à un passage à niveau. Ils sont là à attendre, puis ils voient ton piece passer. Même s'ils ne connaissent pas le graff, ils le regardent et sont obligés de se faire une idée : "Ah ! C'est beau", ou encore, "C'est donc bien laid !" »

C-LOCK est un personnage particulier bien connu des graffiteurs ; dire qu'il est incontournable sur la scène montréalaise n'est pas exagéré. Avec CHEEB et ZEN, il est l'auteur de plusieurs grandes murales à travers la ville. Il est passionné de son art :

« À force de faire des murales, tu finis par savoir "improviser" avec ton mur. Quand je peins avec un plus jeune qui a moins d'expérience, j'aime lui donner des trucs. »

Le calme après la tension constitue un moment irrésistible de la pratique du graff.

« Dans les tunnels du métro, c'est assez particulier. Tout ce qu'on fait en bombing, c'est toujours un peu extrême, de toute façon. Par contre, t'as toujours cette sensation de bien-être quand tu as fini ta soirée et que tu rentres chez toi. » (FLOW)

Dit d'une autre façon :

« Lorsque tu passes tout près de te faire attraper, le moment où tu te retrouves en sécurité et que tu sais que tu as réussi ta mission, c'est une sensation unique.» (DYSKE)

Ou encore :

« Quand tu le fais, ce n'est pas super plaisant : l'adrénaline, le souci que ce soit beau, la peur de te faire prendre, et en plus, il faut que ça aille vite... Et le lendemain, c'est la gloire... ou la déception, lorsque tu revois ce que tu as fait !» (TIMER)

J'ouvre une parenthèse et demande à TIMER ce qui fait qu'on est satisfait de l'œuvre graffitée :

« Les couleurs doivent être solides, les lignes bien nettes, il faut que la composition des lettres soit harmonieuse, équilibrée entre le positif et le négatif...»

Mais le plaisir fondamental du graffeur, qui fait l'unanimité, reste celui du risque :

« On aime le risque, on veut se faire un nom puis se faire respecter par ce qu'on a fait. On veut le métier aussi : on veut faire des choses que les autres ne peuvent pas faire parce qu'ils ont peur. Alors, si t'as réalisé quelque chose qui fait peur aux autres et puis qu'en plus t'arrives à la qualité, c'est le top, quoi !» (SINO)

« La poussée d'adrénaline provoquée par le fait de bomber un train, en pleine heure de pointe ou sous les yeux des passants, c'est unique... On a constamment besoin de ressentir ça. On prend des risques incroyables dans le seul but de peindre. C'est une façon de dire que personne ne nous impose de limites.» (HEST)

« Taguer, c'est comme me donner des petits buts dans la vie pour oublier tout le reste, ce qui me donne même le vertige tellement c'est complexe parfois. Il y a un mur, moi, et le crayon entre les deux... et il y a aussi la police. On peut comparer ça à une joute de hockey : tu as l'adversaire et tu dois compter un but... Je trouve que ça simplifie les choses, tout en te faisant vivre *un moment intense et pur.* » (AXE)

Pourquoi ils continuent ?

Le monde du graffiti est aussi une école de vie :

« Le graffiti m'a ouvert les yeux et plusieurs portes. C'est une forme d'art qui est restée très fluide et qui se renouvelle constamment. On peut analyser la scène du graffiti et trouver des réponses à tout. » (Stirling)

« Le graffiti, je continue d'en faire, c'est ma passion. Grâce au graffiti, j'ai maîtrisé mon art et ça m'a aidé dans ma vie. Si ce n'était pas de ça, je serais perdue ! » (HER)

Grâce au graff, HER entrevoit le futur avec enthousiasme :

« Dans l'avenir, je veux marquer Montréal. Je veux rester... et je sais que si je veux, je peux ! C'est excitant ! Je m'entraîne à l'escalade pour pouvoir en faire plus. Je fais pas de bombing toute seule : mon but, c'est de fonder un groupe de filles, parce qu'il y en a pas encore ici. »

De tagueur à graffiteur, chez plusieurs se profile une carrière dans les arts graphiques.

Par exemple, DYSKE, brillant et doué, a marqué Montréal pendant deux, trois ans avec ferveur. Par la suite, ayant pris confiance en lui, il a préféré faire des murs légaux : il ne pouvait plus prendre le risque de se faire attraper et, de plus, il avait réalisé que le côté graphique le passionnait plus que tout. Il a même commencé à travailler sur toile.

Comme STARE, virtuose de la calligraphie qu'il a découverte à travers le graffiti :

« Le graffiti, c'est ma passion, alors si je n'en fais pas, qu'est-ce que je deviens ? J'aime faire du bombing, j'aime travailler sur des productions, créer des trucs artistiques, et aussi détruire avec des signatures. Finalement, j'aime tout ce qui a rapport avec le graff ! Je m'intéresse de plus en plus à la calligraphie. Le lettrage est la base du graffiti. Certaines lettres sont très complexes, incroyables ! »

« J'éprouve encore du plaisir à faire du bombing et à mettre mon nom ici et là, parce qu'à mon avis, je dois avoir encore des problèmes d'ego à travailler. Ce que j'aimerais vraiment, c'est que la société nous comprenne mieux. Je veux faire des pièces qui vont toucher les gens, qui vont leur faire comprendre que le graffiti, c'est pas juste le fait de jeunes qui veulent détruire, mais que c'est aussi un mouvement qui est important et qui a un sens. Je m'intéresse à différentes autres techniques comme le collage ou le dessin par ordinateur. De fait, plusieurs techniques m'attirent. » (JONE)

« Moi, je développe mon côté créatif, parce que j'ai l'intention d'aller dans un domaine comme l'architecture, le cinéma, l'animation, le dessin, la création de décors. » (SIR)

Enfin, on arrive à cette dimension que je n'avais pas soupçonnée et qui est pourtant essentielle au phénomène graffiti : l'échange, la circulation d'idées et la reconnaissance « outre-frontières » :

« Ça, c'est un point qui est bien dans le graffiti, c'est qu'une fois que t'as cartonné autour de chez toi, si tu veux de l'espace, tu es obligé de sortir de ton secteur, de ta ville, d'aller ailleurs, et là, tu vas rencontrer d'autres gars. C'est un plus : ça nous fait sortir des cités, tu vois. Ça nous fait rencontrer du monde, ça nous ouvre les yeux sur d'autres choses. C'est enrichissant, quoi ! Et puis, petit à petit, tu peux être appelé à aller peindre dans d'autres pays, participer à des compétitions... » (SINO)

Cependant, pour certains, ce n'est qu'un passage, un lieu d'apprentissage extraordinaire, certes, mais qui, semblable au voyage qui forme la jeunesse, est un moyen et non une fin :

« Le vrai graffiti, le graffiti illégal, ça ne mène pas à grand-chose, à part de donner de l'expérience de vie... ce qui est quand même important ! » (STACK)

« Je ne peux pas dire que je serais satisfait de ma vie si je faisais juste ça : c'est comme quelqu'un qui serait passionné du bunjee jumping ! C'est bon, mais ça fait pas une vie ! » (LOES)

VIII

COMME UNE PLANTE QUI POUSSE
AU TRAVERS DU BÉTON

« Et l'entourage ? »

La famille dans tout ça ?

« U n groupe, c'est comme une famille. Je ne serais pas dans un crew avec des gens que je ne connais pas. On est ensemble parce que, quelque part, on se ressemble. C'est important pour moi. » (FLOW)

Oui, je veux bien… C'est fantastique de se retrouver, adolescent, avec une « famille » qui partage nos goûts, nos points de vue sur le monde et la vie, notre envie de détruire, et qui, justement, exprime cette envie de la même façon que nous ! Un rêve que tout le monde a caressé un jour ou l'autre ! Mais qu'on le veuille ou non, il y a derrière et parfois, malgré eux, devant, la famille biologique, celle qu'on peut à juste titre appeler la vraie famille ! Le jeune artiste urbain est parfois privilégié :

« Ma mère est très ouverte : elle sait à peu près tout de ce que je fais et même tout de mes amis. Elle est travailleuse sociale et ça lui en prend beaucoup pour l'impressionner. Mais par contre, ce qu'elle pouvait pas accepter, c'était de me voir arriver avec la police ou avec des menottes. Elle trouvait ça stupide et on s'obstinait souvent sur ce qui m'arrivait : elle disait que ça n'avait pas de sens, mais en même temps, elle se rendait compte de toute la joie que ça m'apporte juste d'écrire sur un mur, et qu'en plus, j'étais prêt à assumer les conséquences de tout ça. Elle et moi, on est d'accord sur le fait que beaucoup de choses qui se produisent n'ont pas de sens, et moi, je lui fais valoir que le sens de ça, c'est la pureté derrière le geste et la beauté gratuite qui en découle.» (AXE)

«Ma mère n'appréciait pas du tout de tourner un coin de rue et de se retrouver devant mon nom inscrit sur un mur. Par contre, il lui arrivait parfois de m'encourager. Particulièrement la fois où elle m'a emmené au TA wall, un endroit illégal, pour que je puisse terminer une peinture commencée la veille. J'avais peint un ange en mémoire de sa mère morte exactement un an auparavant, un petit personnage jaune et orange avec deux grandes ailes dans les tons de bleus. Le petit personnage, c'était moi en *bad boy*, la casquette de travers, debout sur un piédestal. Quand elle l'a vu, elle a éclaté en sanglots. C'est là que j'ai vu, dans ses yeux, qu'elle venait de tout saisir : pourquoi je faisais ça, qui j'étais vraiment. Depuis ce temps-là, je sens de la fierté de sa part quand elle parle de ce que je fais.» (KAS)

«En sachant que ma famille était d'accord, ça m'a plus encouragée. Ça te fait du bien, parce que t'as pas à leur cacher.» (HER)

« Mon entourage immédiat n'essayait pas de me stopper dans mes sorties, car même s'ils n'étaient pas au courant de tout, mes parents savaient que je n'étais pas mauvais garçon, au fond… Ils me donnaient bien sûr leurs conseils de prudence et rechignaient pour les taches sur mes vêtements ! » (HEST)

Et SINO, qui a grandi à « l'école » de la cité, en banlieue de Paris :

« Non, je l'ai jamais caché. À la limite, peut-être que ma mère préférait me voir faire des tags et que ça reste inoffensif : elle aimait mieux ça plutôt que j'aille arracher le sac d'une vieille dame ou dépouiller un appartement, quoi ! Et maintenant qu'elle reconnaît les tags dans la rue, elle peut mettre un visage dessus : "Tiens, c'est celui qui est venu manger chez nous", ou "Ah ! c'est celui qui est venu porter un colis à la maison l'autre jour ! C'est pas un mauvais bougre, il n'a qu'un petit défaut : il fait des tags !"»

Le plus souvent, les parents réagissent comme tous les parents : pas très heureux quand ils sont mis devant les faits, mais ils finissent par l'accepter, en attendant que l'orage passe !

« Tous les dimanches, avec mes parents, je me rends à l'église où je joue du piano. Ensuite, lorsqu'on revient en auto, on dirait que le feu tourne au rouge à chaque intersection où il y a un de mes tags. On s'arrête et j'en profite pour observer la réaction de mes parents qui regardent eux aussi les tags. Ils se détournent, mais moi je les sens bien, je sens très bien tout ce qui se passe dans la voiture sans qu'un seul mot ne soit dit. À part cela, je les trouve quand même cool. Ils voient mon potentiel et ce que je pourrais en faire, et essaient de me diriger dans une voie plus acceptable.» (JONE)

Certains parents ne changeront jamais d'avis : «On ne peut rien lui dire pour lui faire changer d'idée là-dessus : c'est du vandalisme. Si je lui montrais un beau tag sur du papier, je suis sûr qu'elle trouverait ça beau. Elle aime beaucoup les arts ; des fois, je pense même qu'elle est jalouse : c'est un nouvel art qui n'existait pas quand elle était jeune.» (STACK)

Et de rares parents ne sauront jamais rien des activités de leur fils...

Ce que les mères ont à dire sur leurs enfants, artistes et délinquants

«Je savais que ça faisait partie d'un rite de passage, la quête de sa propre identité. Mais ce qui me mettait hors de moi, c'est quand je voyais ce qu'il avait fait autour de chez nous : sur les murs du stationnement, derrière, je reconnaissais la peinture à métal jaune pour la galerie... Il avait encore pigé dans ma réserve de peinture. Je ressentais ça comme un affront. C'est sûr que ça crée de la tension. Mais ce qui m'inquiétait le plus, c'est qu'il se fasse mal ou qu'il se fasse arrêter... Quand il est 3 h du matin et que la police te braque la lampe de poche dans les yeux à travers la porte vitrée, c'est pas amusant !» (Mère de SIR)

La mère d'AXE se rappelle les débuts de son fils, à douze ans :

«Il dessinait toujours, c'était sa façon d'endurer les cours. La première fois qu'il a fait une bêtise, en fait ils étaient trois et AXE était le plus vieux, ils avaient dessiné sur une auto blanche avec une canette de peinture jaune. La police est venue. Le voisin à qui l'auto appartenait me connaissait et a été compréhensif. Mon fils est allé s'excuser. Je croyais que la leçon serait suffisante, mais ça ne l'a pas empêché de recommencer, un peu plus tard, sur le mur d'un autre voisin. Encore la police... Cette fois, il a dû nettoyer.»

Mais ce n'était qu'un début... AXE a découvert sa passion, celle qui lui donnera le goût de vivre. Huit ans après les balbutiements de son fils graffiteur, sa mère est toujours inquiète, bien entendu.

«Il ne me dit pas tout. Quand il part, je ne sais pas s'il va revenir.» (Mère d'AXE)

De plus, il y a le danger que représentent les gaz toxiques provenant des peintures aérosol qui inquiète les parents.

«Comment expliquer à un policier que tu achètes des masques pour ton fils?» (Mère d'AXE)

Néanmoins, à l'unanimité, l'attitude des policiers et le système judiciaire sont jugés inadaptés pour ces petits délinquants qui sont des êtres sensibles en révolte davantage que des malfaiteurs!

«J'avais l'impression d'avoir un criminel à la maison quand l'huissier est venu sonner à la porte. La partie la plus dure à avaler dans tout ça, c'est de voir la loi être appliquée sans égards pour le méfait commis. Sans qu'on puisse défendre notre enfant. Par exemple, quand le juge a dit à mon fils: "T'as pas de courage, tu fais des barbouillages en cachette, tu détruis tout..." AXE n'a pas bronché. Le travailleur de rue qui l'accompagnait l'a trouvé stoïque, surpris qu'il ait été capable d'écouter ça sans crier.»

Un autre point de vue est celui de ceux ou celles qui se trouvent dans l'ombre du grand frère délinquant. La sœur de KAS se rappelle avec amusement les discussions autour de la description de son mythique frère. Elle était heureuse et fière de déclarer leur parenté à ses copains de l'école secondaire. Ils croyaient même, parfois, qu'elle inventait ça pour se rendre intéressante. Pour prouver qu'elle disait vrai, son grand frère, complaisant, lui avait fait un graff dans son agenda, dédicacé « À ma petite sœur chérie »...

Elle se rappelle encore des réactions : «Tu es chanceuse d'être sa sœur! Je l'ai vu dans l'autobus, les doigts pleins de peinture!» Et comme elle le souligne avec sagesse : «Ce qui fait le malheur de la mère est la fierté de la sœur!»

Et, ce cri, jaillissant avec ferveur du cœur de la mère d'AXE, chaque parent le pense à un moment ou un autre : « Je voulais qu'il vive! Maintenant, je sais qu'il vit!»

Itinéraire d'une « blonde » de graffiteur

Au cours de mes recherches, j'ai eu la chance de rencontrer Rosalie, amie de cœur d'un graffiteur très actif. Jeune et dynamique, elle exerce un métier créatif et me raconte son adolescence, le parcours de son enfance heureuse jusqu'à maintenant. Intéressée à la culture urbaine dès l'âge de douze ans, elle aime errer dans la ville avec sa gang de filles. Sa gang, c'est huit ou neuf amies, comme elle en dehors des modes. En 1994, elle rencontre un groupe de skaters, parmi lesquels se trouvent des writers. Elle a quinze ans. Premier contact avec les graffiteurs. Sa vie est partagée entre la ville et la campagne : l'été avec les chevaux, l'hiver avec les amis, jusqu'à dix-sept ans où elle devient amoureuse d'un graffiteur. La voilà alors attachée à Montréal, hiver comme été ! Elle me parle de sa chambre complètement taguée, de ses parents ouverts et heureux de savoir leur fille bien dans sa peau. Un peu inquiets, quand même, de la voir se diriger vers les arts visuels : « Faites-moi confiance. Je vais trouver ce que j'aime », leur dit-elle. Et elle se sent à l'aise avec ceux-là qui se sont créé une société en marge du système, ces artistes actifs, fervents activistes qui, plutôt que de se plaindre, ont choisi de faire vibrer les murs de la ville à leurs couleurs.

« Je me sens plus en sécurité dans une ruelle où il y a des graffs : ça veut dire qu'il y a des gens qui passent par là, la nuit, que c'est animé. Ça donne de l'âme à un lieu, ça le rend moins cruel, et ça me fait sourire parce que je sais qui est passé par là. Du béton avec une signature est plus vivant que du béton tout nu. »

J'ajouterais : du béton avec SA signature, c'est encore plus vivant !

« C'est difficile de ne pas penser à lui : j'habite en ville et je vois ses signatures partout ! »

On dit que le premier graffiteur aurait commencé pour une raison similaire : un jeune homme amoureux s'était inventé un surnom, CORNBREAD, et avait couvert de sa signature les murs du quartier de Philadelphie où habitait sa bien-aimée, s'assurant ainsi de capter son attention… Vrai ou faux, ça fait quand même rêver !

Comment se vit, au quotidien, la vie avec un graffiteur?

« Moi aussi je travaille de nuit, alors on fait nos trucs et on se rejoint après. »

Et au sujet du danger qu'il court en gambadant dans des endroits impossibles, escaladant des murs, enjambant des viaducs...

« Quand même, des fois, quand je sais qu'il part pour une mission très dangereuse, j'ai un frisson durant une seconde. Mais je sais qu'il sait ce qu'il fait, qu'il le sent. Quand il se tient sur le bout des orteils sur un rebord de 8 centimètres de large, agrippé à un mur, au-dessus du vide, j'ai confiance : il est comme un chat, il sait où il met ses pattes ! Je dois dire que je suis heureuse de le voir partir avec son sac à dos et les canettes qui tintent à l'intérieur : c'est un son que je trouve rassurant ! Je sais que ça le garde en vie. C'est sa passion et je ne veux pas qu'il perde son sourire. »

Postface

Voilà, vous en savez maintenant presque autant que moi. Pendant tout ce temps où le livre était en préparation, je balançais entre deux pôles : le bien, le mal ; le beau, le laid... Chose inattendue, ma maison, située au centre-ville, a été taguée, barbouillée d'une affreuse signature noire, crachée en vitesse, sans courage ni souci du beau. Cela m'a forcément obligée à me pencher sur ce que je pensais honnêtement de tout ça, viscéralement, en tant que « victime ». Assurément, je ne peux pas apprécier une telle conversation urbaine sur ma façade. Cependant, je ne me sens pas agressée. J'ai quand même fait disparaître le tag sous deux couches de peinture (heureusement, il s'agit d'une façade peinte).

Plus tard, j'ai interrogé deux jeunes, des toys, pas encore dans le circuit, et qui venaient tout juste de se faire prendre l'index sur l'embout, ailleurs en ville. Ils ne taguent pas sur les propriétés privées, disent-ils. Leur rage est pleine et entière contre le système et ils marquent tant qu'ils peuvent les bâtiments publics, en particulier les murs de leur collège. Et pourquoi font-ils des graffitis ?

« Je veux rendre plus beaux les endroits qui sont laids : les buildings tout beiges ou gris, les murs de béton, les abribus...» répond SKADR. En discutant avec lui, j'entends le désir qui le consume de peindre dehors, en grand, en plein jour et avec d'autres, le besoin de faire reconnaître son talent et d'être accepté comme un artiste à part entière. La curiosité l'emporte sur ma réserve et je lui demande la permission de regarder son *black book*. En feuilletant son cahier de croquis, je saisis avec émotion ce qui alimente sa rage et son impatience : au fil des pages se révèle un dessinateur accompli, talentueux à l'extrême, un artiste de quatorze ans brûlant de passion pour son art.

Beau ? Laid ? Bien ? Mal ?

« Tu ne fais rien de mal ! C'est moins pire que de couper les arbres pour construire des immeubles à la place ! » (LOES)

« Je pars du principe que je ne fais pas de mal, que mes actes n'ont rien de mauvais pour autrui. Celui ou Celle qui nous regarde de Là-Haut ne condamne pas cela.» (HEST)

« Exproprier des familles pour bâtir un complexe sportif, c'est humain, mais taguer, c'est inhumain ? Le problème de l'Homme est que chaque homme a ses raisons : on est tous coupables vis-à-vis de quelqu'un d'autre.» (SINO)

Perdue dans mes réflexions, je me promène, rue Saint-Dominique, entre l'avenue des Pins et la rue Roy. Cette portion de rue, qui ressemble plutôt à une vaste ruelle, est complètement dévastée par les tagueurs. Des empreintes de toutes les couleurs, jetées comme des crachats, sans égards aux surfaces qu'elles défigurent. Je sais aujourd'hui faire la différence. Je reconnais là l'ouvrage de jeunes de douze à quinze ans qui se sont acheté des canettes pour aller signer leur mépris sur les façades qu'ils rencontrent. Rien à voir avec ceux qui ont gagné mon admiration, mais qui étaient tout de même ceux-là, il n'y a pas si longtemps!

Maintenant que ma pensée est absorbée par ce triste spectacle, je remarque la saleté et le désordre qui règnent autour. Des sacs de déchets éventrés traînent dans la rue, des papiers, des boîtes, des sacs de plastique, des poubelles renversées, de vieux journaux, des mégots écrasés jonchent le trottoir...

Indifférence au bien-être d'autrui, mépris des lieux publics, voilà le message que les adultes qui sont passés ici laissent à ceux qui y passeront. Et voilà l'exemple qu'ils donnent à ceux qui viendront après eux.

Ainsi, le ravage des lieux publics n'est pas l'apanage des graffiteurs, semble-t-il!

Plutôt que de sombrer dans de noires pensées, je laisse le mot de la fin à l'un des artistes rencontrés:

«Le graffiti, c'est aussi de l'urbanisme, c'est-à-dire qu'on remanie l'environnement pour s'y sentir plus à l'aise. Si c'est mal, ça reste pour moi un mal nécessaire. Quand je voyage et que je vois des graffitis, pour moi ça signifie qu'il y a une vitalité culturelle là où je passe. Dans les villes où c'est "buffé" massivement, j'ai l'impression que c'est mort, qu'il manque quelque chose. Les villes où on voit des graffitis sont des villes où il y a de la vie, où les gens ont accès à la culture : bonne bouffe, beaucoup de galeries, de la musique, du théâtre, du cinéma et des spectacles en masse.

« Le graffiti, c'est l'expression d'une culture qui est en vie dans une ville qui bouge ! » (NEWZ)

Dernier mot...

Ces dernières années ont vu poindre une nouvelle génération de tagueurs qui ne se contentent plus de peinturer ou de crayonner pour laisser leurs empreintes. Des égratignures et des signatures à l'acide défigurent de plus en plus les vitres des wagons de métro et font des ravages sur les vitrines des commerces des rues achalandées. Cependant, toute cette laideur irrémédiablement gravée dans le verre des biens publics me semblent un bien pâle reflet de la colère que nos jeunes ressentent, impuissants à se faire entendre.

Leur cri, vidé de leur réquisitoire, devient une vengeance anonyme et mal ciblée qui, au lieu d'atteindre le système qu'il vise, fait pâtir les individus, propriétaires, travailleurs ou passants, et attise la colère générale.

À quoi sommes-nous sourds ? Pourquoi cette colère ?

Poursuivant cette réflexion, il est juste de se demander : Quel exemple offrons-nous à ces jeunes qui viendront après nous ? Et comment, en tant que société, traitons-nous ceux qui nous demandent notre soutien? Quelle aide accordons-nous à la personne qui, sous nos yeux, est en difficulté?

Hypothèse: considérons le monde comme étant notre propre miroir, et imaginons que ces vitrines de magasin, nous les avons gravées de notre indifférence, que les vitres du métro ont été corrodées à l'acide de notre mentalité du chacun pour soi, du sauve-qui-peut dans un navire qui va sombrer. Que pourrions-nous changer, à l'intérieur de nous-mêmes ou dans notre comportement en public, qui inciterait les uns et les autres au respect et à la courtoisie?

Un disciple demandait à Gandhi son secret pour transformer tous ceux qui l'entouraient. Ce à quoi le mahatma répondit: «C'est toi qui dois être le changement.»

LEXIQUE

Il est à noter que la plupart des expressions sont dérivées de l'anglais.

BLOCK : De « Blockbuster ». Lettres de grand format. Le block nécessite plus de travail parce que les lettres sont carrées et demandent plus de précision.

BOMBE : Contenant de peinture sous pression à vaporiser. Bombe aérosol.

BOMBER : Peindre, dessiner à la bombe.

BOMBING : Action de bomber, de taguer, de faire des graffs.

BUFFER : Nettoyer.

CARTONNER : Synonyme de « détruire ».

CREW : Groupe de tagueurs ou graffiteurs. Un cercle d'amis en est fréquemment l'origine. Le crew utilise un nom collectif, et lorsqu'il devient connu, s'y joignent souvent des graffiteurs réputés.

DÉTRUIRE : Remplir un espace de tags, en bande. *On va détruire un métro!* Les graffeurs l'utilisent aussi entre eux, mais pour exprimer que c'est beau.

FLOP : Synonyme de throw-up. Il s'agit d'une technique rudimentaire de peindre des lettres, en deux étapes : tracer le contour de la lettre ; remplir.

GRAFF : De « graffiti », désigne aussi bien l'œuvre que la technique. C'est surtout dans les médias que s'est imposé le mot *graff*. En Europe, « graff » est davantage en usage, et le mot a une entrée dans *Le Petit Larousse*. Le dictionnaire le distingue ainsi du simple graffiti, ce qui constitue une reconnaissance de sa plus grande valeur.

GRAFFEUR, GRAFFITEUR : Personne qui pratique le graff. Dans le milieu, c'est « graffeur » qui est en usage. À l'origine, les graffiteurs s'appelaient « writers » et leur pratique, le « writing ».

GRAFFITI : On va préférer à *graffiti* les mots *graff* ou *piece*. Employé par les plus jeunes, « graffiti » est rapidement abandonné par les tagueurs qui prennent de l'expérience.

GROUND UP : Graff qui part de la base d'un mur, par opposition au graff qui en occupe le « milieu » et laisse un espace tout autour. Le style du graff y est souvent accolé : Ground up Block, Ground up Wild Style, Ground up Bubble, etc.

PIECE : Employé pour désigner un graff (le plus souvent polychrome).

REPASSER : Peindre par-dessus un tag ou un graff. Généralement, c'est là où les « histoires » commencent !

ROLLER : Graff fait au rouleau (souvent élémentaire, sans raffinement).

SKATER : Jeune qui pratique le skate (*skate board* : planche à roulette).

SPOT : Lieu ou surface où peindre présentant un bon potentiel, et non pas, comme certains pourraient le croire, le plus haut ou le plus risqué possible.

TAG : Signature du graffeur ou nom que le tagueur se donne.

TAGUER : « Poser » (marquer ou peindre) son tag.

TA WALL et A-1 : Lieux mythiques pour les graffeurs.

THROW-UP : Intermédiaire entre le tag et le graff. Le throw-up est plus gros qu'un tag, mais moins « travaillé » qu'un graff (ou piece). Généralement exécuté très rapidement, les angles sont plus arrondis.

TOY : Débutant ou tagueur sans style.

WHOLE CAR : En parlant d'un wagon de train ou de métro dont la surface est peinte de haut en bas, y compris les portes et les fenêtres. Différent d'un « side to side », qui est peint d'une extrémité à l'autre, mais à hauteur d'homme seulement.

WRITER : Mot préféré par les graffeurs américains pour se désigner.

Pour en savoir plus sur les graffitis, nous vous recommandons, entre autres, trois sites web :

www.bombingscience.com
www.artcrimes.com
www.hvw8.com

et un livre :

The Book about Taking Space, par Paul 107 (prononcer One 0 Seven !), éditions ECW Press, 2003.

Table

CET OUVRAGE
COMPOSÉ EN PALATINO CORPS 12 SUR 14
A ÉTÉ ACHEVÉ D'IMPRIMER
LE DIX-HUIT OCTOBRE DE L'AN DEUX MILLE QUATRE
PAR LES TRAVAILLEURS ET TRAVAILLEUSES
DES PRESSES DE L'IMPRIMERIE GAUVIN
À GATINEAU
POUR LE COMPTE DE
LANCTÔT ÉDITEUR.

IMPRIMÉ AU QUÉBEC (CANADA)